LES PETITS CLASSIQUES BORDAS

sous la direction de Fernand ANGUÉ
Professeur de Première au Lycée Chaptal

R A C I N E

A T H A L I E

Tragédie

avec une notice sur le théâtre au XVIIe siècle,
une biographie chronologique de Racine,
une étude générale de son œuvre,
une analyse méthodique de la pièce,
des notes, des questions, des sujets de devoirs

par

René-Yves LE MAZOU

Professeur au Lycée BUFFON
(Annexe de la porte de Vanves).

B

LES PETITS CLASSIQUES BORDAS
(P. C. B.)

Principes de la collection

Donner le texte complet des grandes œuvres classiques, établi avec soin d'après les meilleures éditions.

Permettre à tous les élèves — des petites classes jusqu'aux classes préparatoires aux Grandes Écoles —, ainsi qu'aux étudiants, de réunir la documentation dont ils auront besoin sur l'auteur et sur l'œuvre à étudier.

Présenter, dans les bandeaux placés en regard du texte, des thèmes de réflexion utilisables en classe, et propres à guider l'élève dans l'étude personnelle des pages non retenues pour l'analyse magistrale.

Dans ces bandeaux et dans l'étude finale de l'œuvre, multiplier les sujets de devoirs et les questions pouvant donner lieu à un exercice écrit ou oral.

A côté des jugements prononcés par les écrivains et les critiques des siècles passés, placer l'opinion de nos grands auteurs contemporains et des critiques les plus écoutés de notre époque.

BEAUMARCHAIS : *Le Barbier de Séville.*	MOLIÈRE : *Dom Juan.*
BOILEAU : *L'Art poétique.*	— *Le Misanthrope.*
CORNEILLE : *Le Cid.*	— *L'École des femmes.*
— *Cinna.*	— *La Critique de l'École des femmes.*
— *Horace.*	
— *Polyeucte.*	MUSSET : *Lorenzaccio.*
VICTOR HUGO : *Hernani.*	— *On ne badine pas avec l'amour* et *Il faut qu'une porte soit ouverte ou fermée.*
— *Ruy Blas.*	
MARIVAUX : *Le Jeu de l'Amour et du Hasard.*	
MOLIÈRE : *L'Avare.*	
— *Les Femmes savantes.*	RACINE : *Andromaque.*
— *Le Malade imaginaire.*	— *Athalie.*
	— *Bérénice.*
— *Le Médecin malgré lui.*	— *Britannicus.*
	— *Mithridate.*
— *Les Précieuses ridicules* et *La Jalousie du Barbouillé.*	— *Phèdre.*
	— *Les Plaideurs.*
	— *Esther.*

LE THÉATRE AU XVIIe SIÈCLE

Origines du théâtre parisien

1398   Les Confrères de la Passion sont établis à Saint-Maur.

1400   Le Synode de Troyes défend aux prêtres d'assister aux spectacles des mimes, farceurs, jongleurs, comédiens.

1402   Les Confrères s'installent à Paris (hôpital de la Sainte-Trinité) et y présentent des mistères, des farces, des moralités.

1539   Ils transportent leurs pénates à l'Hôtel de Flandre.

1543   Celui-ci démoli, ils font construire une salle à l'emplacement de l'hôtel des anciens ducs de Bourgogne (angle des rues Mauconseil et Française : il en reste la Tour de Jean-sans-Peur et une inscription au nº 29 de la rue Étienne-Marcel), tout près de l'ancienne Cour des Miracles.

1548   Un arrêt du Parlement défend aux Confrères la représentation des pièces religieuses, leur réservant en retour le droit exclusif de jouer les pièces profanes (on commence à composer des tragédies imitées de l'antique). Henri IV renouvellera ce monopole en 1597.

Les troupes au XVIIe siècle

1. **L'Hôtel de Bourgogne.** — Locataires de la Confrérie, les « Grands Comédiens » (Molière les nomme ainsi dans *les Précieuses ridicules*, sc. 9) sont des « artistes expérimentés » mais, vers 1660, leur équipe a vieilli. Pour lutter contre la concurrence de Molière, elle s'essaye dans la petite comédie, la farce : « On vit tout à coup ces comédiens graves devenir bouffons », écrivit Gabriel Guéret. A partir de 1670, ils reviennent à la tragédie où éclate leur supériorité (selon le goût du public). Ils touchent une pension de 12 000 livres, que leur avait fait obtenir Richelieu.

2. Le **Théâtre du Marais**, qui fit triompher *le Cid* en 1637, n'a plus, en 1660, « un seul bon acteur ny une seule bonne actrice », selon Tallemant des Réaux. La troupe cherche le salut dans les représentations à grand spectacle, les « pièces à machines » pour lesquelles on double le prix des places. Elle ne touche plus aucune pension.

3. Les **Italiens** sont animés par Tiberio Fiurelli, dit Scaramouche (né à Naples en 1608), mime d'une étonnante virtuosité. Ils improvisent sur un canevas, selon le principe de la *commedia dell'arte*. S'exprimant en italien, ils sont « obligés de gesticuler [...] pour contenter les spectateurs », écrit Sébastien Locatelli. Ils reçoivent 16 000 livres de pension générale et des pensions à titre personnel.

4. La **troupe de Molière** s'est installée à Paris en 1658, d'abord au Petit-Bourbon, puis au Palais-Royal; en 1665, elle est devenue la Troupe du Roi et reçoit 6 000 livres de pension.

5. L'**Opéra**, inauguré le 3 mars 1671 au jeu de paume de Laffemas, près de la rue de Seine et de la rue Guénégaud, est dirigé, à partir de l'année suivante, par Lully.

6. Autres troupes plus ou moins éphémères : celle de Dorimond; les Espagnols; les danseurs hollandais de la foire Saint-Germain; les animateurs de marionnettes. Enfin, de dix à quinze troupes circulent en province, selon Chappuzeau.

En 1673 (ordonnance du 23 juin), la troupe du Marais fusionne avec celle de Molière qui a perdu son chef. Installés à l'**hôtel Guéné-gaud,** ces comédiens associés se vantent d'être les Comédiens du Roi; cependant, ils ne touchent aucune pension.

En **1680** (18 août), ils fusionnent avec les Grands Comédiens; ainsi se trouve fondée la **Comédie-Française.** « Il n'y a plus présentement dans Paris que cette seule compagnie de comédiens du Roi entretenus par Sa Majesté. Elle est établie en son hôtel, rue Mazarini, et représente tous les jours sans interruption; ce qui a été une nouveauté utile aux plaisirs de cette superbe ville, dans laquelle, avant la jonction, il n'y avait comédie que trois fois chaque semaine, savoir le mardi, le vendredi et le dimanche, ainsi qu'il s'était toujours pratiqué. » (Préface de Vinot et La Grange pour l'édition des œuvres de Molière, 1682.)

Les comédiens : condition morale

Par ordonnance du 16 avril 1641, Louis XIII les a relevés de la déchéance qui les frappait : « Nous voulons que leur exercice, qui peut innocemment divertir nos peuples de diverses occupations mauvaises, ne puisse leur être imputé à blâme, ni préjudice à leur réputation dans le commerce public. »

Cependant, le *Rituel du diocèse de Paris* dit qu'il faut exclure de la communion « ceux qui sont notoirement excommuniés, interdits et manifestement infâmes : savoir les [...] comédiens, les usuriers, les magiciens, les sorciers, les blasphémateurs et autres semblables pécheurs ». La *Discipline des protestants de France* (chap. XIV, art. 28) dit : « Ne sera loisible aux fidèles d'assister aux comédies, tragédies, farces, moralités et autres jeux joués en public et en particulier, vu que de tout temps cela a été défendu entre les chrétiens comme apportant corruption de bonnes mœurs. »

On sait comment fut enterré Molière. Au xviiie siècle, après la mort d'Adrienne Lecouvreur, Voltaire pourra encore s'élever (*Lettres philosophiques*, XXIII) contre l'attitude de l'Église à l'égard des comédiens non repentis.

Les comédiens : condition matérielle

Les Comédiens gagnent largement leur vie : de 2 500 livres à 6 000 livres par an; ils reçoivent une retraite de 1 000 livres lorsqu'ils abandonnent la scène (une livre de cette époque vaut de 10 à 15 francs nouveaux). La troupe forme une société : chacun touche une part, une moitié ou un quart de part des recettes, — déduction faite des 80 livres de frais (un copiste, deux décorateurs, les portiers, les gardes, la receveuse, les ouvreurs, les moucheurs de chandelle) que coûte à peu près chaque représentation. Le chef des Grands Comédiens touche une part et demie. Molière en touche deux, à cause de sa qualité d'auteur (les auteurs ne recevaient pas alors de pourcentage sur les recettes).

Les salles

En 1642, Charles Sorel évoque ainsi l'Hôtel de Bourgogne : « Les galeries où l'on se met pour voir nos Comédiens ordinaires me déplaisent pour ce qu'on ne les voit que de côté. Le parterre est fort incommode pour la presse qui s'y trouve de mille marauds mêlés parmi les honnêtes gens, auxquels ils veulent quelquefois faire des affronts [...]. Dans leur plus parfait repos, ils ne cessent de parler, de siffler et de crier, et parce qu'ils n'ont rien payé à l'entrée et qu'ils ne viennent là qu'à faute d'autre occupation, ils ne se soucient guère d'entendre ce que disent les comédiens. »

La plupart des spectateurs sont debout, au parterre, pour 15 sous. Un certain nombre occupent la scène — des hommes seulement —, côté cour et côté jardin[1], pour 6 livres. D'autres occupent les galeries latérales. Les prix étaient doublés à la première représentation. Les gens du « bel air » prenaient des places de scène « pour se faire voir et pour avoir le plaisir de conter des douceurs aux actrices » (J.-N. de Tralage); ils arrivaient souvent en retard et « cherchaient des places après même plusieurs scènes exécutées » (abbé de Pure).

En 1687, les Comédiens français sont chassés de l'hôtel Guénégaud et, le 8 mars 1688, ils se fixent au jeu de paume de l'Étoile, rue des Fossés-Saint-Germain (aujourd'hui, de l'Ancienne-Comédie), où ils resteront jusqu'en 1770. Inaugurée le 18 avril 1689, la nouvelle salle peut accueillir près de 2 000 spectateurs. Vingt-quatre lustres l'illuminent, mais il n'y a pas de sièges au parterre : ils apparaîtront en 1782 dans la salle du Luxembourg.

Les représentations

Annoncées pour 2 heures (affiches rouges pour l'Hôtel de Bourgogne, rouges et noires pour la troupe de Molière), elles ne commencent qu'à 4 ou 5 heures, après vêpres.

Très fruste au début du siècle, la mise en scène s'efface, après 1660, quand le décor de la tragédie représente un « palais à volonté » et celui de la comédie « un carrefour où répondaient les maisons des principaux acteurs », maisons (on disait *mansions*, au temps des mystères) figurées par des toiles peintes.

Il y a un rideau de scène, mais on ne le baisse pas, à la fin de chaque acte (à cause des spectateurs assis sur la scène); des violons annoncent l'entr'acte.

---

1. Regardons la scène, conseillait Paul Claudel, et projetons-y les initiales de *Jésus-Christ*, nous saurons où est le côté *Jardin* et le côté *Cour*.

L'ÉPOQUE DE RACINE

1638 Naissance de Louis XIV.	
1639-1641 Révolte des « va-nu-pieds » en Normandie.	
1640 *Horace*, tragédie de Corneille.	
Augustinus de Jansenius.	
1641 *La Guirlande de Julie*.	
1642 (?) *Polyeucte*, tragédie de Corneille.	
Fondation de la Congrégation de Saint-Sulpice par Olier.	Petite enfance.
Mort de Richelieu	
1642 Condamnation de l'*Augustinus* (6 mars).	
1643 Mort de Louis XIII (13 mai).	
Molière fonde l'*Illustre Théâtre*.	

Régence d'Anne d'Autriche 1643-1661

1644 Torricelli invente le baromètre.	
1645 Naissance de La Bruyère.	
1646 Conversion de Pascal au Jansénisme.	
1648-1653 La Fronde.	
1648 Fondation de l'Académie de peinture et de sculpture.	Éducation à **Port-Royal**
Traité de Westphalie.	
Les Pèlerins d'Emmaüs par Rembrandt.	
1650 Mort de Descartes.	
1651 *Nicomède*, tragédie de Corneille.	
Le Roman comique de Scarron.	
1653 Condamnation du Jansénisme.	
Fouquet surintendant des finances.	Formation.
Vincent de Paul fonde l'Hospice général.	
1654 Nuit de Pascal (23 novembre).	
1655 Conversion du prince de Conty.	
Pascal se retire à Port-Royal des Champs.	
1656 *Le Voyage dans la lune* par Cyrano de Bergerac.	
1656-1657 *Lettres provinciales* de Pascal.	
1656-1659 Construction du château de Vaux.	
1657 *La Pratique du théâtre* par l'abbé d'Aubignac.	
1658 Corneille écrit les *Stances à Marquise* pour la Du Parc (Marquise Thérèse de Gorla, femme du comédien Du Parc).	
Mort de Cromwell.	
1659 *Œdipe*, tragédie de Corneille.	Vie mondaine.
Les Précieuses ridicules, comédie de Molière.	

LA VIE DE RACINE (1639-1699)

1639 (22 décembre) Baptême de Jean Racine, fils de Jean RACINE, contrôleur
du grenier à sel de la Ferté-Milon, et de Jeanne SCONIN, fille de Pierre
Sconin, procureur royal des Eaux et Forêts de Villers-Cotterêts.
Les Racine prétendaient avoir été anoblis vers la fin du XVIe siècle.

1641 (28 janvier)   Mort de Mme Racine qui avait mis au monde, le 24 janvier,
une fille baptisée Marie.

1643 (6 février) Mort du père (remarié en 1642) : il ne laisse que des dettes.
D'abord élevés par leur grand-père Sconin, à la mort de ce dernier
les deux orphelins sont pris en charge par leur grand-mère pater-
nelle, Marie DESMOULINS, marraine du petit Jean, et dont la fille
Agnès (née en 1626) devait devenir abbesse de Port-Royal sous le
nom de Mère AGNÈS DE SAINTE-THÈCLE. De treize ans son aînée,
Agnès se montre pour l'enfant une vraie mère, ce qui explique les
remontrances qu'elle lui fera plus tard, quand elle craindra pour son
âme.

1649   A la mort de son mari, Marie Desmoulins emmène Jean à **Port-
Royal** où elle a des attaches (une de ses sœurs, Suzanne, était morte
en 1647 dans la maison de Paris; l'autre, Mme Vitart, était oblate
à Port-Royal des Champs) et où elle-même prend le voile.

1649-1653   Racine est admis aux **Petites Écoles** tantôt à Paris, tantôt au
Chesnay ou aux Champs, dans le domaine des Granges où les élèves
logent avec les Solitaires. Il a Nicole pour maître en Troisième.

1654-1655   Classes de Seconde et de Première au Collège de Beauvais, qui
appartient également aux Jansénistes.

1655-1658   Retour à **Port-Royal des Champs.** « Lancelot lui apprit le grec,
et dans moins d'une année le mit en état d'entendre les tragédies
de Sophocle et d'Euripide » (Valincour à l'abbé d'Olivet, cité dans
l'*Histoire de l'Académie*, 1858, t. II, p. 328). La formation que Racine
a reçue de l'helléniste Lancelot, du latiniste Nicole, d'Antoine
Le Maître et de « Monsieur » Hamon, tous hommes d'une piété
austère, aura une influence considérable sur son œuvre, et explique
qu'on ait pu voir des chrétiennes plus ou moins orthodoxes en Phèdre
et Andromaque. Peut-être aussi cette éducation sévère a-t-elle fait
de Racine un replié qui explosera dès qu'il en trouvera la liberté :
c'est l'opinion de Sainte-Beuve.

1659   A sa sortie du Collège d'Harcourt, où il a fait sa philosophie, Racine
demeure à Paris où il retrouve Nicolas Vitart, cousin germain de
son père et secrétaire du duc de Luynes. Il manifeste quelque
tendance à mener joyeuse vie et semble avoir fait connaissance, dès
cette époque, avec La Fontaine. Ambitieux, désireux de faire une
carrière littéraire, il recherche avec habileté la faveur des grands.

1660	Premières *Satires* de Boileau. Mariage de Louis XIV avec Marie-Thérèse. *Examens* et *Discours sur le poème dramatique* par Corneille. Louis XIV fait brûler les *Provinciales*.	Retraite à **Uzès**

Règne personnel de Louis XIV 1661-1715

1661	Mariage d'Henriette d'Angleterre avec Monsieur (mars). Fêtes de Vaux en l'honneur du roi (17 août). Arrestation de Fouquet (5 septembre). *Élégie aux nymphes de Vaux* par La Fontaine. Le Vau commence à construire le château de Versailles.	
1662	Mort de Pascal (19 août). *Histoire comique* par Cyrano de Bergerac. *Mémoires* de La Rochefoucauld.	
1663	Tous les peintres et sculpteurs du roi doivent s'agréger à l'Académie royale de peinture et de sculpture. Descartes mis à l'index par l'Université de Paris; Molière songe à faire une comédie sur ce sujet.	**Débuts au théâtre**
1664	Premières pensions attribuées aux gens de lettres sur les indications de Chapelain. Premiers *Contes* de La Fontaine. Édit ordonnant la signature du Formulaire. Dispersion des religieuses de Port-Royal de Paris (août). Condamnation de Fouquet (20 décembre).	Rupture avec Molière. **Rupture avec Port-Royal**
1665	Colbert devient contrôleur général. *Maximes* de La Rochefoucauld.	
1666	Mort d'Anne d'Autriche (22 janvier). Fondation de l'Académie de Rome. *Le Roman bourgeois* par Furetière. *Le Misanthrope*, comédie de Molière. Fondation de l'Académie des sciences. Traquée par le roi, la Compagnie du Saint-Sacrement doit entrer en sommeil.	
1667	Mort de Descartes.	
1668	La Fontaine, *Fables* (livres I-VI).	
1669	*Oraison funèbre d'Henriette de France* par Bossuet.	

1660   Ode en l'honneur du mariage du roi : *la Nymphe de la Seine*. D'après Sainte-Beuve, Chapelain aurait déclaré : « L'ode est fort belle, fort poétique, et il y a beaucoup de stances qui ne peuvent être mieux. Si l'on repasse le peu d'endroits que j'ai marqués, on en fera une fort belle pièce. » Aussi intéressante, pour le jeune arriviste, est la gratification de cent louis qui accompagne ce compliment.

1661   Retraite à **Uzès** chez son oncle, le chanoine Sconin, vicaire général, dont il espère recevoir le bénéfice. Il étudie la théologie et... s'ennuie. D'Uzès, il écrit à La Fontaine : « Toutes les femmes y sont éclatantes, et s'y ajustent d'une façon qui leur est la plus naturelle du monde [...]. Mais comme c'est la première chose dont on m'a dit de me donner de garde, je ne veux pas en parler davantage [...]. On m'a dit : *Soyez aveugle!* Si je ne le puis être tout à fait, il faut du moins que je sois muet; car, voyez-vous, il faut être régulier avec les réguliers, comme j'ai été loup avec les autres loups vos compères. *Adiousas!* »

1662   Déçu de n'avoir obtenu, pour tout bénéfice, qu'un petit prieuré, Racine revient à Paris où, en janvier 1663, il publie une ode : *la Renommée aux Muses*. Il voudrait sa part de la manne royale dont tout le monde parle dans la République des Lettres : la première liste officielle de gratifications sera publiée en 1664 et le jeune poète sera inscrit pour 600 livres.

1663 (12 août)   Marie Desmoulins meurt à Port-Royal de Paris.

1664 (20 juin)   Première représentation de **la Thébaïde ou les Frères ennemis** par la troupe du Palais-Royal que dirige Molière.

1665   Lecture de trois actes et demi d'*Alexandre* chez la comtesse de Guénégaud (4 décembre). Puis représentation de la tragédie par la troupe de Molière avec un grand succès. Saint-Evremond écrit une dissertation sur l'*Alexandre* de Racine et la *Sophonisbe* de Corneille. C'est alors que Racine se **brouille avec Molière :** il porte sa tragédie chez les comédiens de l'Hôtel de Bourgogne.

1666   Nicole faisait paraître, depuis 1664, une série de *Lettres sur l'Hérésie imaginaire* (c'est-à-dire le jansénisme) : les dix premières seront nommées *les Imaginaires*, les huit suivantes *les Visionnaires*. Dans la première *Visionnaire*, Nicole traite le « faiseur de romans » et le « poète de théâtre » d' « empoisonneur public, non des corps, mais des âmes des fidèles ». Racine répond : « Vous pouviez employer des termes plus doux que ces mots d'*empoisonneurs publics* et de *gens horribles parmi les chrétiens*. Pensez-vous que l'on vous en croie sur parole? Non, non, Monsieur, on n'est point accoutumé à vous croire si légèrement. Il y a vingt ans que vous dites tous les jours que les Cinq Propositions ne sont pas dans Jansénius; cependant on ne vous croit pas encore. » La raillerie « sent déjà Voltaire », observe M. Mauriac.

1667 (mars)   Maîtresse de Racine, la comédienne **Thérèse Du Parc** quitte la troupe de Molière et crée **Andromaque** à l'Hôtel de Bourgogne. Se marièrent-ils secrètement? Eurent-ils une fille qui devait mourir à l'âge de huit ans? Mme Dussane l'a soutenu, non sans preuves.

1670	Mort d'Henriette d'Angleterre (29 juin). *Bérénice.* *Tite et Bérénice*, tragédie de Corneille. Première publication des *Pensées* de Pascal.
1671	Début de la *Correspondance* de Mme de Sévigné.
1672	Mort du chancelier Séguier, protecteur de l'Académie. Fondation de l'Académie nationale pour la représentation des opéras. Le directeur est Lully. *Bajazet.* Louis XIV s'installe à Versailles.
1673	Mort de Molière. Première réception publique à l'Académie française.
1674	Boileau, *l'Art poétique.* Malebranche, *la Recherche de la vérité.*
1675	Campagne de Turenne en Alsace.
1676	Arrestation de la Brinvilliers.
1677	Vauban commissaire général des fortifications. Spinoza, *Éthique.* Boileau et Racine nommés historiographes du roi.
1678	Traité de Nimègue (août). Mme de Lafayette, *la Princesse de Clèves.*
1679	Innocent XI menace Louis XIV d'excommunication. Publication posthume des œuvres de Fermat.
1680	La Voisin est brûlée en place de Grève. Fénelon, *Dialogues sur l'éloquence.* Mort de La Rochefoucauld.
1681	Bossuet, *Discours sur l'histoire universelle.*
1682	Newton découvre la loi de l'attraction universelle.
1683	Mort de Marie-Thérèse et de Colbert. Bossuet, *Oraison funèbre de Marie-Thérèse.*
1684	Mariage secret du roi avec Mme de Maintenon. Mort de Corneille.
1685	Révocation de l'Édit de Nantes.
1686	Construction, par J. Hardouin-Mansard, de la Maison d'éducation des Dames de Saint-Cyr.
1687	*Le Siècle de Louis-le-Grand*, poème de Perrault, déclenche la Querelle des Anciens et des Modernes. *Oraison funèbre de Condé* par Bossuet.

Notes en marge :

Rivalité ouverte avec Corneille. *(en regard de 1672)*

Cabale de **Phèdre**
Retraite du théâtre.
Mariage. *(en regard de 1678)*

Historiographe *(en regard de 1680)*

1668 (décembre) Mort de la Du Parc, dans des conditions assez mystérieuses : la mère parle d'empoisonnement [1].

1669 (13 décembre) Échec de *Britannicus,* malgré la protection déclarée du roi. La tragédie a eu pour interprète la nouvelle maîtresse de Racine, la **Champmeslé**, « la plus merveilleuse bonne comédienne que j'aie jamais vue : elle surpasse la Desœillets de cent lieues loin » (Mme de Sévigné, 15 janvier 1672).

1670 (21 novembre) Première de *Bérénice.* Racine entre en lutte ouverte avec Corneille. D'après Fontenelle (*Vie de Corneille,* 1729), le sujet aurait été proposé au poète par Henriette d'Angleterre, qui l'aurait également suggéré à Corneille, sans dire ni à l'un ni à l'autre qu'elle engageait une compétition. Les plus récents historiens littéraires, ainsi M. Pommier, n'ajoutent pas foi à cette tradition. En 1660, comme Titus, Louis XIV avait triomphé de sa passion (pour Marie Mancini, nièce de Mazarin) : on tenait à l'en louer.

La tragédie mène alors une vie agitée. Les ennemis ne lui manquent pas : les deux Corneille et leur neveu Fontenelle; les gazetiers Robinet et Donneau de Visé; la comtesse de Soissons (chez qui s'est retirée la mère de la Du Parc), la duchesse de Bouillon, les ducs de Vendôme et de Nevers... Mais il a de puissants protecteurs dans le roi, Mme de Montespan et sa sœur Mme de Thianges; il a deux bons amis : La Fontaine et Boileau.

1677 (1er janvier) Première de **Phèdre.** La cabale montée par la duchesse de Bouillon et son frère le duc de Nevers (ils avaient commandé à Pradon *Phèdre et Hippolyte*) fait tomber la pièce.

(1er juin) Mariage de Racine avec Catherine de ROMANET : il en aura sept enfants.

(Octobre) Racine et Boileau nommés **historiographes** du roi. Le 13 du mois, Mme de Sévigné écrit à Bussy : « Vous savez bien que [le roi] a donné 2 000 écus de pension à Racine et à Despréaux, en leur commandant de tout quitter pour travailler à son histoire. » Ainsi la retraite de Racine est due à cette ascension sociale, non à sa conversion qui eut lieu la même année; pour la même raison, à partir de 1677, Boileau cesse d'écrire des vers et, dans sa préface de 1683, il parlera du « glorieux emploi qui [l'] a tiré du métier de la poésie ».

1679 La Voisin, une des principales inculpées dans **l'affaire des poisons,** accuse Racine : elle a entendu dire, par la mère de la Du Parc, qu'il n'aurait pas été étranger à la mort de la comédienne. Désormais, selon M. Clarac, Racine aura « en horreur sa vie passée ».

---

1. Elle accuse Racine d'avoir agi par jalousie. Ainsi débute l'affaire des poisons. En 1670, on trouve chez la marquise de Brinvilliers un attirail d'empoisonneuse. Arrêtée en 1676, porteuse d'une confession écrite qui terrifie les enquêteurs, elle est bientôt exécutée. Mais l'on a découvert une véritable bande de femmes qui vendaient des poisons appelés « poudres de succession ». Le roi convoque une Chambre ardente : elle fait arrêter les coupables et enregistre la dénonciation faite par la Voisin. En janvier 1680, un ordre d'arrestation sera lancé contre Racine mais, par suite d'une très haute intervention, l'affaire en restera là pour le poète.

1688	Bossuet, *Histoire des variations des Églises protestantes*.	
	La Bruyère, *les Caractères*.	
	Achèvement du palais de Versailles.	
	Occupation du Palatinat et de l'électorat de Cologne.	
	Perrault commence les *Parallèles des Anciens et des Modernes*.	
1690	Bataille de Fleurus.	Retour au théâtre.
	Dictionnaire de Furetière.	
	Locke, *Essai sur l'entendement humain*.	
1691	Création de la Ferme générale de l'impôt.	
1692	*Dictionnaire historique et critique* de Bayle.	**Gentilhomme**
	Discours à l'Académie française par La Bruyère.	
1694	L'Académie française publie son *Dictionnaire*.	
	Réflexions sur Longin par Boileau.	
	Bossuet, *Maximes sur la comédie*.	
	Mort d'Arnauld.	
1695	Mort de La Fontaine.	
	Mort de Nicole.	
1696	Mort de La Bruyère et de Mme de Sévigné.	
	Fénelon, *Maximes des saints*.	
	Contes de Perrault.	
1699	Mme Dacier, *Homère*.	
	Fénelon, *le Télémaque*.	Mort.

Les aînés de Racine et ses cadets

L'âge du succès :

Racine (*Andromaque*) et Hugo (*Hernani*) : vingt-huit ans.

Corneille (*Le Cid*) : trente ans.

Molière (*Les Précieuses ridicules*) : trente-sept ans.

La Fontaine (premier recueil des *Fables*) : quarante-sept ans.

L'adieu à la scène (*Phèdre*) : trente-huit ans.

1685 (2 janvier) Racine, directeur de l'Académie française, reçoit Thomas Corneille qui remplace son frère dans la docte assemblée. Faisant un bel éloge de l'ancien rival, Racine déclare : « A dire le vrai, où trouvera-t-on un poète qui ait possédé à la fois tant de grands talents, tant d'excellentes parties : l'art, la force, le jugement, l'esprit ! Quelle noblesse, quelle économie dans les sujets ! Quelle véhémence dans les passions ! Quelle gravité dans les sentiments ! Quelle dignité, et en même temps quelle prodigieuse variété dans les caractères ! »

1687 Racine donne une nouvelle édition de son théâtre. Sa conversion ne l'a donc pas conduit à négliger son œuvre passée et à se rallier aux vues de Nicole.

1689 (26 janvier) Première représentation d'**Esther,** pièce sacrée commandée par Mme de Maintenon pour les « demoiselles de Saint-Cyr ».

1690 Racine est nommé **gentilhomme ordinaire du roi** et, en 1693, faveur insigne, sa• charge deviendra héréditaire. Dans un texte rédigé entre 1690 et 1697 (Spanheim, *Relation de la Cour de France*, 1882, p. 402), on lit : « M. de Racine a passé du théâtre à la cour, où il est devenu habile courtisan, dévot même [...]. Pour un homme venu de rien, il a pris aisément les manières de la cour [...] et il est de mise partout, jusques au chevet du lit du Roi, où il a l'honneur de lire quelquefois, ce qu'il fait mieux qu'un autre. »

1691 (5 janvier) Représentation d'*Athalie* à Saint-Cyr, sans décor ni costumes.. Les conditions de ce spectacle amèneront Francisque Sarcey à se demander s'il ne serait pas possible de jouer les grandes pièces classiques « dans une grange ».

1691-1693 Racine accompagne le roi aux sièges de Mons et de Namur, mais il n'est resté de son œuvre d'historiographe que des récits fragmentaires. Sa pension sera double de celle de Boileau.

1693-1698 *Abrégé de l'histoire de Port-Royal*, écrit à la gloire de ses anciens maîtres pour lesquels il ne cesse de s'entremettre auprès du roi. Nouvelle édition des *Œuvres complètes*, augmentées de pièces diverses et de *Quatre Cantiques spirituels*. L'amitié de Racine pour les jansénistes ne trouble pas ses relations avec le roi, quoi qu'on en ait dit : il continue d'être invité à Marly et, le 6 mai 1699, Boileau écrira à Brossette que « Sa Majesté a parlé de M. Racine d'une manière à donner envie aux courtisans de mourir s'ils croyaient qu'Elle parlât d'eux de la sorte après leur mort ».

1699 (21 avril) Mort de Racine. Son « petit testament » exprime ces volontés :

> *Je désire qu'après ma mort mon corps soit porté à Port-Royal des Champs, et qu'il soit inhumé dans le cimetière, aux pieds de la fosse de M. Hamon. Je supplie très humblement la mère abbesse et les religieuses de vouloir bien m'accorder cet honneur, quoique je m'en reconnaisse indigne, et par les scandales de ma vie passée, et par le peu d'usage que j'ai fait de l'excellente éducation que j'ai reçue autrefois dans cette maison, et des grands exemples de piété et de pénitence que j'y ai vus et dont je n'ai été qu'un stérile admirateur. Mais plus j'ai offensé Dieu, plus j'ai besoin des prières d'une si sainte communauté pour attirer sa miséricorde sur moi. Je prie aussi la mère abbesse et les religieuses de vouloir accepter une somme de huit cents livres.*
>
> *Fait à Paris, dans mon cabinet, le 10 octobre 1698.*

1711 (2 décembre) Après la destruction de Port-Royal, les cendres de Racine sont transférées, avec celles de Pascal, à Saint-Étienne-du-Mont.

RACINE : L'HOMME

Au physique, nous ne pouvons connaître le jeune Racine : ni le portrait du musée de Langres, par François de Troy, ni le portrait de Chambord, attribué à Largillière, ni celui de Toulouse, attribué à Rigaud, ne le représentent. Une seule image authentique : le portrait de Santerre qui nous montre un solennel courtisan.

Passionné, il fut aimé autant qu'il aima. Trop longtemps comprimé dans le milieu rigoriste de son enfance (voir p. 7), il eut tendance à confondre l'indépendance du jeune homme avec la débauche; mais, sensible à l'excès, il sut plus tard être bon père.

Le cruel Racine tend aujourd'hui à effacer le doux et tendre Racine de la légende. « Comme il sait mordre, comme il sait être arrogant, blessant, méprisant, brutal! Si on ne l'admirait pas tant, on le haïrait. Quand on l'attaque, il se défend et se débat comme un diable. Il rugit, il bondit, il déchire sa proie avec ses crocs cruels, il larde les visages, il hurle de douleur et de fureur. C'est un tigre enragé » (Jean-Louis Barrault, *Mon Racine*). Légende nouvelle? Non. « Fourbe, traître, ambitieux, méchant », affirmait Diderot. Et l'on ne récusera pas ce témoignage de Boileau, ami des premiers jours et des derniers : « Railleur, inquiet, jaloux et voluptueux » (d'après Jean Pommier, *Revue d'histoire littéraire de la France*, octobre 1960). Cependant, **le grand Racine** garde son mystère, que M. Mauriac devine : « Nous avons perdu le secret de Jean Racine : le secret d'avancer continûment dans la vie spirituelle, d'y progresser, de n'en point laisser derrière nous des parcelles vivantes, attachées encore à la boue. Simplicité de Jean Racine [...]. Aucune voix lui crie que ce qu'il détruit de lui-même, c'est justement l'essentiel; que tout en nous, même le pire, doit servir à créer l'irremplaçable dont nous recélions les éléments. Racine se délecte à se simplifier. »

RACINE : SES PRINCIPES

Homme de théâtre, il exigeait de ses interprètes la perfection : ce serait la raison pour laquelle, d'après son fils, il aurait retiré *Alexandre* aux acteurs de Molière, dont il était mécontent (voir p. 9).

Écrivain, il nous a révélé ses scrupules dans ses préfaces :
En 1664, dans la dédicace de *la Thébaïde*, il parle du « don de plaire », qui lui paraîtra toujours la qualité majeure d'un écrivain.
En 1666, dans la première préface d'*Alexandre*, il attaque les « subtilités de quelques critiques, qui prétendent assujettir le goût du public aux dégoûts d'un esprit malade, qui vont au théâtre avec un ferme dessein de n'y point prendre de plaisir, et qui croient

prouver à tous les spectateurs, par un branlement de tête et par des grimaces affectées, qu'ils ont étudié à fond la *Poétique* d'Aristote » : première attaque contre les formalistes.

Que reproche-t-on à mes tragédies, demande Racine, « si toutes mes scènes sont bien remplies, si elles sont liées nécessairement les unes avec les autres, si tous mes acteurs ne viennent point sur le théâtre que l'on ne sache la raison qui les y fait venir et si, avec **peu d'incidents et peu de matière**, j'ai été assez heureux pour faire une pièce qui les a peut-être attachés malgré eux, depuis le commencement jusqu'à la fin? ».

Une tragédie n'est que « l'imitation d'une action complète où plusieurs personnes concourent », lit-on dans la première préface de *Britannicus* (1670); mais « d'une action simple, chargée de peu de matière, telle que doit être une action qui se passe en un seul jour, et qui, s'avançant par degrés vers sa fin, n'est soutenue que par les intérêts, les sentiments et les passions des personnages ».

On n'écrit pas une tragédie, en effet, pour les pédants, mais pour « le petit nombre de gens sages auxquels [on s'] efforce de plaire ». La préface de *Bérénice* (1671) précise certains points; notamment la brièveté et la simplicité de l'action :

« La durée d'une tragédie ne doit être que de quelques heures. »
« Ce n'est point une nécessité qu'il y ait du sang et des morts dans une tragédie; il suffit que l'action en soit grande, que les acteurs en soient héroïques, que les passions y soient excitées, et que tout s'y ressente de cette **tristesse majestueuse** qui fait tout le plaisir de la tragédie. »

La simplicité de l'action était « fort du goût des anciens. Car c'est un des premiers préceptes qu'ils nous ont laissés [...]. Et il ne faut point croire que cette règle ne soit fondée que sur la fantaisie de ceux qui l'ont faite. Il n'y a que le **vraisemblable** qui touche dans la tragédie. Et quelle vraisemblance y a-t-il qu'il arrive en un jour une multitude de choses qui pourraient à peine arriver en plusieurs semaines? Il y en a qui pensent que cette simplicité est une marque de peu d'invention [...] au contraire, toute l'invention consiste à **faire quelque chose de rien** ».

Les spectateurs se soucient trop des règles. « Je les conjure d'avoir assez bonne opinion d'eux-mêmes pour ne pas croire qu'une pièce qui les touche et qui leur donne du plaisir puisse être absolument contre les règles. **La principale règle est de plaire et de toucher.** Toutes les autres ne sont faites que pour parvenir à cette première. » Le tragique se risquera-t-il, dans son désir de faire neuf, à prendre son sujet dans l'histoire moderne? Pas celle de son pays, en tous cas, répond Racine en 1676 dans la seconde préface de *Bajazet ;* car on ne peut évoquer le quotidien avec poésie. « Je ne conseillerais pas à un auteur de prendre pour sujet d'une tragédie une action aussi moderne que celle-ci, si elle s'était passée dans le pays [...]. Les personnages tragiques doivent être regardés d'un autre œil que nous ne regardons d'ordinaire les personnages que nous avons vus de si près [...]. L'éloignement des pays répare en quelque sorte la trop grande proximité des temps. »

En somme, que tout, dans une tragédie, soit justifié, qu'il n'y ait rien de superflu. « On ne peut prendre trop de précaution pour ne rien mettre sur le théâtre qui ne soit très nécessaire. Et les plus belles scènes sont en danger d'ennuyer, du moment qu'on les peut séparer de l'action, et qu'elles l'interrompent au lieu de la conduire vers la fin » (préface de *Mithridate*, 1673).

Malgré le respect dû à la vérité, l'histoire cédera devant les convenances : pour plaire aux honnêtes gens, on peut se permettre de substituer une quelconque Ériphile à la douce Iphigénie. « Quelle apparence que j'eusse souillé la scène par le meurtre horrible d'une personne aussi vertueuse et aussi aimable qu'il fallait représenter Iphigénie? » La jalouse Ériphile, « tombant dans le malheur où [elle] voulait précipiter sa rivale, mérite en quelque façon d'être punie, sans être pourtant tout à fait indigne de compassion [...]. Quel plaisir j'ai fait au spectateur, et en sauvant à la fin une princesse vertueuse pour qui il s'est si fort intéressé dans le cours de la tragédie, et en la sauvant par une autre voie que par un miracle, qu'il n'aurait pu souffrir, parce qu'il ne le saurait jamais croire » (préface d'*Iphigénie*, 1674).

La préface de *Phèdre* (1677), enfin, rappelle les nécessité morales que le jeune contradicteur de Nicole (voir p. 9) aurait eu tendance à écarter. Le sujet de cette tragédie présente « toutes les qualités qu'Aristote demande dans le héros de la tragédie, et qui sont propres à **exciter la compassion et la terreur**. En effet, Phèdre n'est ni tout à fait coupable, ni tout à fait innocente ». On n'aura pas besoin de faire appel à la *catharsis*[1] pour justifier la pièce aux yeux des moralistes. « Je n'en ai point fait où la vertu soit plus mise en jour que dans celle-ci. Les moindres fautes y sont sévèrement punies. La seule pensée du crime y est regardée avec autant d'horreur que le crime même. Les faiblesses de l'amour y passent pour de vraies faiblesses. Les passions n'y sont présentées aux yeux que pour montrer le désordre dont elles sont cause; et le vice y est peint partout avec des couleurs qui en font connaître et haïr la difformité C'est là proprement le but que tout homme qui travaille pour le public doit se proposer. »

---

1. Ou purgation : en leur faisant partager, durant deux heures, la passion des personnages, le théâtre purge les âmes de leurs tendances mauvaises.

Esquisse
faite par son fils,
Jean-Baptiste,
sur la feuille de garde
d'un *Horace,*
d'après le portrait
peint par Santerre
deux ou trois ans
avant la mort du poète

LE VISAGE
DE RACINE
historiographe du roi

Crayon de Le Brun ▶

Décor à la Comédie-Française

Athalie au Théâtre Récamier (Compagnie Jean Gillibert)

Athalie au Théâtre Récamier (Compagnie Jean Gillibert)

Athalie à la Comédie-Française avec Jean Davy (JOAD) ▶

JOAD. - *Prêtres, voilà le roi que je vous ai promis* (IV, 3)

Clichés Lipnitzki

◀ Jean Davy (JOAD), Germaine Kerjan (JOSABET) et Véra Korène (ATHALIE)

RACINE : SON ŒUVRE

L'œuvre dramatique de Racine est peu abondante, en regard des 33 pièces de Corneille et des 34 pièces de Molière. Elle comprend 12 pièces, réparties en trois genres :

9 tragédies profanes :

1664 (20 juin)[1] *la Thébaïde ou les Frères ennemis.*

1665 (4 décembre) : *Alexandre le Grand.*

1667 (17 novembre) : *Andromaque.*

1669 (13 décembre) : *Britannicus.*

1670 (novembre) : *Bérénice.*

1672 (janvier) : *Bajazet.*

1673 (janvier) : *Mithridate.*

1674 (août) : *Iphigénie.*

1677 (1er janvier) : *Phèdre.*

2 tragédies sacrées :

1689 (26 janvier) : *Esther.*

1691 (janvier) : *Athalie.*

Une comédie en trois actes :

1668 (octobre ou novembre) : *les Plaideurs.*

En dehors de son œuvre dramatique, Racine a écrit des œuvres diverses en vers et en prose :

Des poèmes latins et français dont les principaux sont : *la Nymphe de la Seine,* 1660; *la Renommée aux Muses,* 1663; onze *Hymnes traduites du Bréviaire romain,* 1688; quatre *Cantiques spirituels,* 1694.

Des traductions, des annotations et des remarques sur l'*Odyssée* (1662), Eschyle, Sophocle, Euripide, la *Poétique* d'Aristote, le *Banquet* de Platon...

Des ouvrages polémiques : neuf épigrammes probablement (Racine ne les avoua pas) et surtout les *Lettres à l'auteur des Imaginaires* dont il ne publia que la première, en 1666 (la seconde paraîtra en 1722).

Des discours : *Pour la réception de M. l'abbé Colbert,* 1678; *Pour la réception de MM. de Corneille et Bergeret,* 2 janvier 1685.

Des ouvrages historiques :

Éloge historique du Roi sur ses conquêtes depuis l'année 1672 jusqu'en 1678.

Relation de ce qui s'est passé au siège de Namur, imprimée en 1692 par ordre du roi, mais sans nom d'auteur.

Notes et fragments (notes prises sur le vif par l'historiographe qui accompagnait le roi dans ses campagnes).

Divers textes, en prose et en vers, concernant Port-Royal.

Abrégé de l'histoire de Port-Royal, sa dernière œuvre, publiée en 1742 (première partie) et 1767 (seconde partie) : « Une chronique sacrée, [...] de l'Histoire Sainte, bien plutôt que de l'histoire » (Raymond Picard, *Œuvres complètes de Racine,* t. II, 1960, p. 35).

---

1. Les dates données sont celles de la première représentation.

LA TRAGÉDIE D' « ATHALIE »

1. Une tragédie à huis-clos

Le rideau venait à peine de tomber sur les brillantes représentations d'*Esther* à Saint-Cyr que Louis XIV ordonna à Racine de travailler à une nouvelle pièce. Bien que cet ordre fît de lui le fournisseur du roi en divertissements royaux, le poète n'apporta pas un grand enthousiasme à la composition de la pièce qu'on attendait de lui. Les représentations se firent attendre; pourtant, les lectures privées laissaient prévoir un succès au moins égal à celui d'*Esther*. Mais *Athalie* ne fut pas jouée dans les mêmes conditions. Si l'on en croit ce qu'ont écrit Dangeau (*Journal*) et Manseau (*Mémoires*), il n'y eut pas de représentations, mais seulement des répétitions. La première eut lieu à Saint-Cyr le 5 janvier 1691, sans éclat. Aucun théâtre n'avait été monté. Pas d'habits à la persane, comme pour *Esther*, mais le sévère uniforme noir des pensionnaires. Et l'histoire n'eût pas retenu cet événement, si Dangeau n'avait noté dans son *Journal*, à la date du 5 janvier 1691 : « Le Roi et Monseigneur allèrent l'après-dinée à Saint-Cyr où il y eut une répétition d'*Athalie* avec la musique. » Dangeau mentionne encore des « répétitions » d'*Athalie* le 8 et le 22 février 1691, cette dernière ayant eu sans doute un peu plus d'éclat parce qu'elle fut jouée devant le roi et la reine d'Angleterre. Il y eut enfin quelques répétitions dans la classe des « bleues », mais seulement pour quelques intimes de Madame de Maintenon.

Ainsi, Racine mourut sans avoir vu une vraie représentation d'*Athalie* dont le premier succès à la Cour date de 1702, à l'occasion de fêtes organisées pour la jeune duchesse de Bourgogne qui tint le rôle de Josabet. La première représentation publique eut lieu au début de la Régence, le 3 mars 1716; alors *Athalie* fit partie du répertoire de la Comédie Française, où elle ne connut pourtant que vingt-neuf représentations de 1716 à 1718.

Depuis cette époque, *Athalie* a été représentée près de six cents fois par les Comédiens français.

Elle a été reprise deux fois seulement entre 1944 et 1955 :

— Le 19 décembre 1947 : mise en scène de Georges Le Roy; décor de Louis Sue; musique de Tony Aubin (deux représentations en 1947, treize en 1948).

— Le 23 avril 1955 : mise en scène de Vera Korène; décor et costumes de Carzou; musique de Léon Algazi (45 représentations). Racine obtint, pour *Athalie* comme pour les pièces précédentes, un Privilège du Roi. L'achevé d'imprimer est du 3 mars 1691 — c'est dire qu'*Athalie* parut dans les délais habituels. Cette première édition reçut du public un bon accueil qui encouragea Racine à publier, l'année suivante, une seconde édition moins coûteuse. Enfin *Athalie* fut réimprimée dans l'édition collective de 1697.

2. « Athalie » drame jacobite

Curieuse destinée que celle de cette pièce de théâtre qui connut un succès de librairie avant celui des salles de spectacle.

Que se passa-t-il donc entre la commande de la pièce par le roi et le refus de la laisser porter sur le théâtre? M. Orcibal, précisant et complétant un article de J. Chartier dans *le Mercure de France* du 1er juillet 1931, constate qu'entre ces deux moments il fut plusieurs fois question des souverains anglais, dans l'histoire d'*Athalie*. Aussi écrit-il qu'on doit chercher la clé des énigmes de la pièce dans l'association étroite et indiscutée qui s'était, dès l'origine, formée entre les souverains et Mme de Maintenon, l'épouse morganatique. Selon lui, *Athalie* serait un drame jacobite, une sorte de prière en action pour le rétablissement du souverain légitime — le futur Jacques II — sur le trône de ses pères. Mais des événements défavorables à Jacques II se produisirent; ce qu'on interpréta comme une fuite honteuse fit un effet déplorable; l'attitude de Louvois, la mort de Seignelay rendirent impossible l'intervention de Louis XIV et de la flotte française. Une représentation d'*Athalie*, « chant de guerre du corps expéditionnaire », n'avait plus aucune chance de provoquer une intervention dans une affaire désespérée. De ce fait, conclut M. Orcibal, « le plus sage était de laisser le malheureux manifeste interventionniste de Racine tomber dans l'oubli, jusqu'au jour où un providentiel renversement des circonstances permettrait de lever les masques ».

3. L'éternelle querelle du théâtre

N'y aurait-il pas une autre explication à ce huis-clos? N'est-il pas plus vraisemblable de croire qu'*Athalie* a subi le contre-coup, non pas de la politique étrangère mais de la politique intérieure française? N'est-elle pas un épisode de la querelle du théâtre qui atteindra son paroxysme en 1694?

L'éclat des représentations d'*Esther* avait fait naître, chez les pensionnaires de Saint-Cyr, un goût très vif pour les représentations théâtrales. Madame de Maintenon elle-même s'en était alarmée car elle craignait que les jeunes filles n'oubliassent leurs devoirs de piété et la règle de simplicité de la maison. Alors que l'effervescence se calmait lentement chez les jeunes pensionnaires, elle montait rapidement à l'extérieur, et l'on vit se former, contre les représentations, une coalition composée de dévôts (pas tous les dévôts); les poètes jaloux de Racine n'hésitèrent même pas à recourir aux lettres anonymes. Ainsi naquit une conspiration d'autant plus puissante qu'elle était composée de gens d'origines très diverses, dont les chefs étaient François Hébert, curé de Versailles, et le directeur de Saint-Cyr,

Mgr Godet-Desmarais, évêque de Chartres. Comme au temps de *Phèdre*, tous les ennemis de Racine se liguaient pour étouffer son chef-d'œuvre. Redoutant la publicité mondaine qui avait accompagné les représentations d'*Esther*, Madame de Maintenon décida donc que « les répétitions » d'*Athalie* auraient lieu dans l'intimité du couvent, sans éclat et sans faste.

4. Les sources

Lorsque le bruit courut que Racine relisait la Bible pour écrire une nouvelle pièce, le titre n'en était pas connu. Ce sera *Absalon* ou *Jephté*, disait Madame de Sévigné. Sans doute, Racine a-t-il hésité avant de choisir son titre, puisque c'est seulement en mars 1690 qu'il fut question d'*Athalie* ou, plus exactement, de certains chœurs d'*Athalie*.

Le sujet avait déjà été utilisé deux fois, pour des représentations de collège : une *Athalie* latine avait été représentée en 1658, à la distribution des prix du collège de Clermont; en 1683, une autre tragédie scolaire sur le même sujet, mais en français cette fois, avait été jouée au collège de Tiron, dans le Perche. Mais rien ne permet d'affirmer que Racine ait eu connaissance de ces pièces dont on n'avait publié que des résumés.

La principale source de Racine a certainement été la Bible. Connaissant à fond l'Ancien et le Nouveau Testament, il a emprunté son sujet au chapitre XI du second Livre des *Rois* (voir p. 22), et la pièce est remplie de réminiscences de la Bible. Il s'est souvenu aussi de la Sixième Époque du *Discours sur l'histoire universelle* de Bossuet (voir p. 24). Enfin, on ne s'étonnera pas de trouver, dans *Athalie*, des traces de la culture grecque du poète : c'est dans une scène de l'*Ion* d'Euripide que Racine a pris l'idée de l'interrogatoire de Joas par sa grand-mère.

5. Une tragédie religieuse et chrétienne

Athalie est une tragédie religieuse et chrétienne. Des intentions apologétiques se devinent jusque dans les chants du chœur. Ainsi que l'écrit M. Thierry Maulnier, ce n'est pas Joas, ce n'est pas Athalie dont le sort se joue au cours de ces cinq actes — c'est le cours des destinées terrestres. Par delà la victoire du légitime descendant de David, nous voyons s'accomplir la grande œuvre de la Providence : l'établissement de la « Jérusalem nouvelle », de l'Église, instrument nécessaire du Salut de l'humanité. Au-delà du règne de Joas, nous voyons « la terre enfanter son Sauveur »; « le culte juif dans son nationalisme brutal est attendri par l'idée chrétienne et derrière Jehovah vengeur se profile le Dieu de l'Évangile ». Nul n'a mieux montré que M. Raymond Picard (préface aux *Œuvres* de Racine, Pléiade, I, 1956, p. 884-885), l'accomplissement de l'action de Dieu : « Pour qui sait voir, écrit-il, l'histoire d'*Athalie* est un miracle permanent. Miracle, la conservation de Joas, seul survivant d'une vaste postérité; miracle, le songe d'Athalie qui trouble cette reine, longtemps paisible dans le crime; miracle, les réponses de Joas aux questions d'Athalie; miracle, les hésitations d'Athalie; miracle, la libération d'Abner, le courage des lévites, la venue d'Athalie dans le Temple, la soumission immédiate du peuple. A chaque pas, dans cette tragédie sacrée, l'on est saisi par la présence efficace et terrifiante du Dieu vivant. »

6. Une tragédie politique

Alors que certains ne voient, dans *Athalie*, qu'un drame sacré, d'autres, depuis Taine et Dubech ne veulent y voir qu'une tragédie politique. De fait, *Athalie* est l'histoire d'une révolution de palais, d'une prise de pouvoir. Les deux protagonistes de la pièce apparaissent, avant tout, comme des chefs : Athalie incarne l'orgueil et la volonté de puissance; Joad est un incomparable entraîneur d'hommes. On l'a comparé à Bossuet, précepteur du dauphin, et nous soulignerons celles de ses paroles auxquelles on attribua une singulière audace et qui provoquèrent, aux approches de la Révolution, des acclamations passionnées. Faut-il aller plus loin? Certes, selon l'expression de M. Picard, *Athalie* est, comme la plupart des œuvres littéraires, un miroir à facettes multiples où les contemporains ont pu saisir toute une série d'images et de reliefs. Mais, quand on connaît l'amour quelque peu idolâtre qui attachait Racine au monarque déjà qualifié de Grand, il nous semble difficile, malgré les conseils aux princes et les maximes de gouvernement, de parler d'opposition. Si celle-ci existe, elle ne peut être que de nature religieuse. Selon M. René Groos (*Comœdia*, 30 juillet 1931), Racine a pu faire, de Mathan, un portrait type du persécuteur des saints, ceux de Port-Royal en particulier.

7. Une tragédie lyrique et épique

Mais la tragédie nous intéresse aujourd'hui pour d'autres raisons. Le lyrisme s'y déploie avec magnificence. Il est dans les chœurs, si poétiques, où les sentiments les plus divers s'expriment en strophes harmonieuses aux mètres variés. Il est dans l'émouvante prophétie de Joad, prophète en transe mystique, qui nous entraîne aux plus hauts sommets de la poésie prophétique.

Enfin, *Athalie* présente un caractère plus élevé encore, le caractère épique. C'est, en effet, sur un plan surhumain que se passe l'action; le sort de la religion chrétienne se joue sous nos yeux, et la grandeur de l'enjeu emporte l'action jusqu'au sublime de l'épopée.

8. Une tragédie à grand spectacle

En définitive, Racine a fait, de ce drame, un spectacle magnifique. Avec un art plus que jamais suggestif, il évoque le moment de l'action, la lumière qui baigne le décor, les cérémonies qui se déroulent à l'intérieur du temple. Il organise sous nos yeux des mises en scène savantes, déploie des cortèges. Comment ne pas évoquer, avec M. Picard (p. 887-888), les perspectives offertes par cette tragédie qui couronne une série de chefs-d'œuvre! « Il est piquant que Racine ait précisément imaginé cette prestigieuse mise en scène, si nouvelle dans son théâtre, au moment où il écrivait pour les demoiselles de Saint-Cyr et où il savait peut-être que sa pièce serait jouée par des écolières, sans costume et sans décor, dans le cadre presque intime de Saint-Cyr. Ainsi avec *Athalie*, sans qu'on ait peut-être pu s'en rendre compte lors de sa première représentation, la tragédie prend un nouveau visage; avec sa mise en scène et bientôt sa couleur locale, ses mouvements de foule, ses coups de théâtre, elle devient une *machine* à grand spectacle. Cette pièce dont l'intention devait être scolaire, rappelle, avec ses chœurs, les fastes de l'opéra; de même que, par son goût de l'action extérieure, du mouvement, de la couleur et des grands effets de théâtre, elle laisse prévoir la tragédie de Voltaire et bientôt le drame romantique. »

9. Le style

Émile Faguet, qui fut pourtant un grand admirateur d'*Athalie*, a écrit : « Le jour où Racine a rencontré une grande conception poétique du théâtre français, le style de sa conception lui a, en partie, fait défaut. » Ce jugement est fort discutable. Rarement Racine a fait un meilleur usage du style noble. Il a multiplié les substantifs abstraits, les épithètes majestueuses, les périphrases, les inversions, les antithèses concertées, les balancements d'hémistiches. S'il en résulte parfois quelque monotonie dans la solennité, il faut dire que le style d'*Athalie* est à la fois celui d'un psychologue, d'un poète et d'un artiste. Aux qualités habituelles de son style (exactitude, souplesse, harmonie), Racine ajoute ici une vigueur et un éclat exceptionnels. Mouillée de tendresse ou gonflée d'indignation, la phrase se développe ample, puissante et sonore, et a de vrais accents d'épopée.

Ainsi, tragédie religieuse, politique, lyrique, épique et artistique, *Athalie* est sans aucun doute la réalisation « la plus étonnante de notre théâtre ».

DOCUMENTS

1. La Bible (Rois, XI, XII, traduct. Dhombre)

XI. Athalie, mère d'Ochozias, voyant que son fils était mort, se mit à faire périr toute la race royale. Mais Josabeth, fille du roi Joram et sœur d'Ochozias, prit Joas, fils d'Ochozias, et le déroba d'entre les fils du roi qui étaient mis à mort, pour le placer, avec sa nourrice, dans la chambre des lits; on le dissimula ainsi aux regards d'Athalie et il ne fut pas mis à mort. Il resta avec elle dans la Maison de Iahvé, caché durant six ans, tandis qu'Athalie régnait sur le pays.

La septième année, Jehoyada envoya quérir les centurions des Cariens et des coureurs; il les fit entrer près de lui dans la Maison de Iahvé et conclut une alliance avec eux, il leur fit prêter serment dans la Maison de Iahvé et leur fit voir le fils du roi. Puis il leur commanda, en disant : Voici la chose que vous allez faire : un tiers d'entre vous, ceux qui entrent le jour du Sabbat, montera la garde à la Maison du roi; un tiers à la Porte de Fondation et un tiers à la Porte qui se trouve derrière les coureurs. Vous monterez alternativement la garde de la Maison. Deux sections d'entre vous, tous ceux qui sortent le jour du Sabbat, monteront la garde à la Maison de Iahvé pour le roi. Puis vous ferez cercle autour du roi, chacun ayant ses armes à la main. Quiconque pénétrera dans les rangs sera mis à mort et vous serez aux côtés du roi dans ses allées et venues.

Les centurions firent tout ce qu'avait commandé Jehoyada, le prêtre. Ils prirent chacun ses hommes, ceux qui entraient le jour du Sabbat avec ceux qui sortaient le jour du Sabbat, et ils vinrent auprès du prêtre Jehoyada. Le prêtre donna aux centurions les lances et les boucliers du roi David, qui étaient dans la Maison de Iahvé. Les coureurs, chacun d'eux ayant ses armes à la main, se tinrent debout depuis l'aile droite de la Maison jusqu'à l'aile gauche de la Maison, devant l'Autel et devant la Maison autour du roi. Alors le prêtre fit sortir le fils du roi et lui mit le diadème et les chaînettes. On le fit roi et on l'oignit, on battit des mains et l'on dit : Vive le roi !

Athalie entendit la voix du peuple et elle vint vers le peuple dans la Maison de Iahvé. Elle regarda et voici que le roi était debout sur l'estrade, suivant la coutume, les chefs et les trompettes auprès du roi, tout le peuple du pays en liesse et sonnant des trompettes ! Alors Athalie déchira ses habits et cria : Conspiration, conspiration !

Le prêtre Jehoyada donna ordre aux centurions préposés à l'armée et leur dit : Sortez-la à travers les rangs. Quiconque la suivra, on le mettra à mort par l'épée. *Car le prêtre avait dit :* Qu'elle ne soit pas mise à mort dans la Maison de Iahvé ! *Ils mirent donc les mains sur elle et elle arriva, par le chemin de l'entrée des chevaux, à la Maison du roi. C'est là qu'elle fut mise à mort.*

Alors Jehoyada conclut entre Iahvé, le roi et le peuple, une alliance pour que le peuple devienne le peuple de Iahvé. Puis tout le peuple du pays vint à la Maison de Baal et on la démolit. On brisa bel et bien ses autels et ses statues. Quant à Mathan, le prêtre de Baal, on le tua devant les autels.

Le prêtre posta des gardes à la Maison de Iahvé. Il prit avec lui les centurions, les Cariens, les coureurs, tout le peuple du pays. Ils firent descendre le roi de la Maison de Iahvé et ils arrivèrent à la Maison du roi par le chemin de la Porte des coureurs. Il s'assit sur le trône des rois. Tout le peuple du pays était en liesse et la ville redevint

*tranquille. Quant à Athalie, on l'avait mise à mort par l'épée dans
la maison du roi.*

*XII. Joas était âgé de sept ans quand il devint roi. En l'an sept de
Jéhu, Joas devint roi et il régna quarante ans à Jérusalem. Le nom de
sa mère était Sibyah, elle était de Bersabée.*

*Joas fit ce qui est droit aux yeux de Iahvé durant tous les jours que
l'instruisit le prêtre Jehoyada. Toutefois les hauts lieux ne disparurent
pas : les gens sacrifiaient encore et brûlaient encore de l'encens sur
les hauts lieux.*

2. **Bossuet** (*Discours sur l'histoire universelle,* VIe *époque*)

*Les affaires changèrent de face dans le royaume de Juda. Athalie,
fille d'Achab et de Jézabel, porta avec elle l'impiété dans la maison
de Josaphat. Joram, fils d'un prince si pieux, aima mieux imiter
son beau-père que son père. La main de Dieu fut sur lui. Son règne
fut court, et sa fin fut affreuse. Au milieu de ces châtiments, Dieu
faisait des prodiges inouïs, même en faveur des Israélites qu'il voulait
rappeler à la pénitence. Ils virent, sans se convertir, les merveilles
d'Élie et d'Élisée, qui prophétisèrent durant les règnes d'Achab et
de cinq de ses successeurs* [...] *Il y eut des spectacles effroyables dans
les royaumes de Juda et d'Israël. Jézabel fut précipitée du haut
d'une tour par ordre de Jéhu. Il ne lui servit de rien de s'être parée :
Jéhu la fit fouler aux pieds des chevaux. Il fit tuer Joram, roi d'Israël,
fils d'Achab : toute la maison d'Achab fut exterminée et peu s'en fallut
qu'elle n'entraînât celle des rois de Juda dans sa ruine. Le roi Ochosias,
fils de Joram, roi de Juda, et d'Athalie, fut tué dans Samarie avec
ses frères, comme allié et ami des enfants d'Achab. Aussitôt que cette
nouvelle fut portée à Jérusalem, Athalie résolut de faire périr tout ce
qui restait de la famille royale sans épargner ses enfants; et de régner
par la perte de tous les siens. Le seul Joas fils d'Ochosias, enfant
encore au berceau, fut dérobé à la fureur de son aïeule. Josabeth,
sœur d'Ochosias et femme de Joïada, souverain pontife, le cacha dans
la maison de Dieu, et sauva ce précieux reste de la maison de David.
Athalie, qui le crut tué avec tous les autres, vivait sans crainte* [...]
*Rien ne remuait en Judée contre Athalie; elle se croyait affermie par
un règne de six ans. Mais Dieu lui nourrissait un vengeur dans
l'asile sacré de son temple. Quand il eut atteint l'âge de sept ans,
Joïada le fit connaître à quelques-uns des principaux chefs de l'armée
royale, qu'il avait soigneusement ménagés; et assisté des lévites, il
sacra le jeune roi dans le temple. Tout le peuple reconnut sans peine
l'héritier de David et de Josaphat. Athalie, accourue au bruit pour
dissiper la conjuration, fut arrachée de l'enclos du temple et reçut
le traitement que ses crimes méritaient.*

GÉNÉALOGIE D'ATHALIE ET DE JOAS

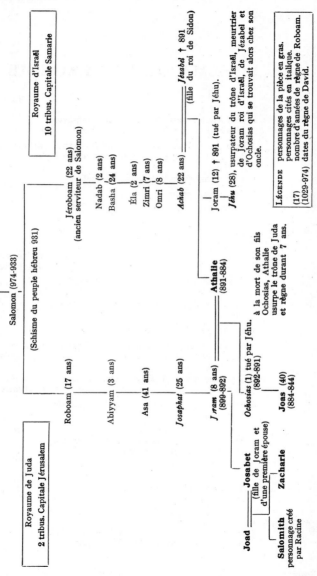

David (1029-974)

Salomon (974-933)

(Schisme du peuple hébreu 931)

Royaume de Juda
2 tribus. Capitale Jérusalem

Royaume d'Israël
10 tribus. Capitale Samarie

Jéroboam (22 ans)
(ancien serviteur de Salomon)

Roboam (17 ans)

Nadab (2 ans)
Basha (24 ans)
Éla (2 ans)
Zimri (7 ans)
Omri (8 ans)

Abiyyam (3 ans)

Asa (41 ans)

Achab (22 ans) ——— *Jézabel* † 891
(fille du roi de Sidon)

Josaphat (25 ans)

Joram (12) † 891 (tué par Jéhu).

Jéhu (28), usurpateur du trône d'Israël, meurtrier de Joram roi d'Israël, de Jézabel et d'Ochosias qui se trouvait alors chez son oncle.

Joram (8 ans)
(899-892)

Athalie
(891-884)

à la mort de son fils Ochosias, Athalie usurpe le trône de Juda et règne durant 7 ans.

Ochosias (1) tué par Jéhu.
(892-891)

Joas (40)
(884-844)

Josabet
(fille de Joram et d'une première épouse)

Joad

Zacharie

Salomith
personnage créé par Racine

LÉGENDE : personnages de la pièce en gras.
personnages cités en italique.
(17) nombre d'années de **règne** de Roboam.
(1029-974) dates du **règne** de David.

25

SCHÉMA DE LA TRAGÉDIE

3 Confidences de Mathan à Nabal.

4 Par la douceur, Mathan essaye d'obtenir de Josabet qu'elle lui livre Éliacin.   Deuxième échec.

5 Intervention violente de Joad qui chasse Mathan.

6 Mathan soupçonne le mystère de la naissance d'Éliacin. Josabet propose de s'enfuir avec lui. Joad veut le couronner sur l'heure.   Joad avance l'heure du couronnement d'Éliacin.

7 Le peuple a déserté le temple. Seuls, restent les prêtres. Joad, inspiré par l'Esprit divin, prophétise l'avenir de Joas.

8 Chant du chœur.

ACTE IV SC. 1 Préparatifs.

2 Joad révèle à Joas le secret de sa naissance.

3 Joad annonce aux lévites que Joas est leur roi. Ils le défendront jusqu'au bout.   **Athalie et Joad** se préparent à livrer bataille.

4 Entrée du chœur.

5 Un lévite annonce que le temple est cerné par l'armée d'Athalie. Joad organise la défense.

6 Chant du chœur.

ACTE V SC. 1 Zacharie annonce que Joas vient d'être couronné et que l'ordre du combat est donné.

2 Abner vient apporter les conditions d'Athalie : que Joad livre Éliacin et le trésor de David. Joad répond : qu'Athalie vienne les chercher elle-même.   Athalie tombe dans le piège tendu par Joad.

3 Joad prépare
4 l'arrivée d'Athalie.

5 Athalie entre. Joas couronné lui apparaît. Athalie est prise au piège.

6 Les lévites, avec l'aide de Dieu, ont mis en fuite l'armée d'Athalie. Athalie est entraînée hors du temple pour être tuée.   **Victoire de Dieu** et de son peuple.

7 Proclamation de Joas aux lévites.

8 Annonce de la mort d'Athalie.

PRÉFACE

Tout le monde sait que le royaume de Juda était composé des deux tribus de Juda et de Benjamin, et que les dix autres tribus qui se révoltèrent contre Roboam[1] composaient le royaume d'Israël. Comme les rois de Juda étaient de la maison de David, et qu'ils avaient dans leur partage la ville et le temple de Jérusalem, tout ce qu'il y avait de prêtres et de lévites se retirèrent auprès d'eux, et leur demeurèrent toujours attachés. Car depuis que le temple de Salomon fut bâti, il n'était plus permis de sacrifier ailleurs, et tous ces autres autels qu'on élevait à Dieu sur des montagnes, appelés par cette raison dans l'Écriture les hauts lieux, ne lui étaient point agréables. Ainsi le culte légitime ne subsistait plus que dans Juda. Les dix tribus, excepté un très petit nombre de personnes, étaient ou idolâtres ou schismatiques.

Au reste, ces prêtres et ces lévites faisaient eux-mêmes une tribu fort nombreuse[2]. Ils furent partagés en diverses classes pour servir tout à tour dans le temple, d'un jour de sabbat[3] à l'autre. Les prêtres étaient de la famille d'Aaron[4]; et il n'y avait que ceux de cette famille, lesquels pussent exercer la sacrificature. Les lévites leur étaient subordonnés, et avaient soin, entre autres choses, du chant, de la préparation des victimes, et de la garde du temple. Ce nom de lévite ne laisse pas d'être donné quelquefois indifféremment à tous ceux de la tribu. Ceux qui étaient en semaine avaient, ainsi que le grand prêtre, leur logement dans les portiques ou galeries, dont le temple était environné, et qui faisaient partie du temple même. Tout l'édifice s'appelait en général le lieu saint. Mais on appelait plus particulièrement de ce nom cette partie du temple intérieur où était le chandelier d'or, l'autel des parfums, et les tables des pains de proposition[5]. Et cette partie était encore distinguée du Saint des Saints, où était l'arche[6], et où le grand prêtre seul avait droit d'entrer une fois l'année[7]. C'était une tradition assez constante que la montagne sur laquelle le temple fut bâti était la même montagne où Abraham avait autrefois offert en sacrifice son fils Isaac.

---

1. Fils de Salomon. — 2. Il y en avait 38 000, sous David. — 3. Le septième jour de la semaine; le repos devait être observé ce jour-là, sous peine de mort. — 4. Frère de Moïse que ce dernier avait placé à la tête des Lévites en qualité de Grand-Prêtre. — 5. Pains sans levain qui, les jours de Sabbat, étaient posés dans le temple sur une table spéciale et offerts au Seigneur, en reconnaissance de ce qu'il nourrissait son peuple. — 6. Coffret en bois d'acacia richement orné qui contenait les tables sur lesquelles étaient gravés les commandements de Dieu. — 7. Le jour de la Propitiation.

J'ai cru devoir expliquer ici ces particularités, afin que ceux à qui
l'histoire de l'Ancien Testament ne sera pas assez présente n'en
soient point arrêtés en lisant cette tragédie. Elle a pour sujet Joas
reconnu et mis sur le trône; et j'aurais dû dans les règles l'intituler
Joas. Mais la plupart du monde n'en ayant entendu parler que sous
le nom d'*Athalie*, je n'ai pas jugé à propos de la leur présenter sous
un autre titre, puisque d'ailleurs Athalie y joue un personnage si
40 considérable, et que c'est sa mort qui termine la pièce. Voici une
partie des principaux événements qui devancèrent cette grande
action.

Joram, roi de Juda, fils de Josaphat, et le septième roi de la race
de David, épousa Athalie, fille d'Achab et de Jézabel, qui régnaient
en Israël, fameux l'un et l'autre, mais principalement Jézabel, par
leurs sanglantes persécutions contre les prophètes. Athalie, non
moins impie que sa mère, entraîna bientôt le Roi son mari dans
l'idolâtrie, et fit même construire dans Jérusalem, un temple à Baal
qui était le Dieu du pays de Tyr et de Sidon, où Jézabel avait pris
50 naissance. Joram, après avoir vu périr par les mains des Arabes et
des Philistins tous les princes ses enfants à la réserve d'Ochosias.
mourut lui-même misérablement d'une longue maladie qui lui
consuma les entrailles. Sa mort funeste n'empêcha pas Ochosias
d'imiter son impiété et celle d'Athalie sa mère. Mais ce prince,
après avoir régné seulement un an, étant allé rendre visite au roi
d'Israël, frère d'Athalie, fut enveloppé dans la ruine de la maison
d'Achab, et tué par l'ordre de Jéhu[1], que Dieu avait fait sacrer par
ses prophètes pour régner sur Israël, et pour être le ministre de ses
vengeances. Jéhu extermina toute la postérité d'Achab, et fit jeter
60 par les fenêtres Jézabel, qui, selon la prédiction d'Élie, fut mangée
des chiens dans la vigne de ce même Naboth qu'elle avait fait mourir
autrefois pour s'emparer de son héritage. Athalie, ayant appris à
Jérusalem tous ces massacres, entreprit de son côté d'éteindre
entièrement la race royale de David, en faisant mourir tous les enfants
d'Ochosias, ses petits-fils. Mais heureusement Josabet, sœur d'Ochosias, et fille de Joram, mais d'une autre mère qu'Athalie, étant
arrivée lorsqu'on égorgeait les princes ses neveux, elle trouva moyen
de dérober du milieu des morts le petit Joas, encore à la mamelle,
et le confia avec sa nourrice au grand prêtre, son mari, qui les cacha

---

1. L'un des généraux d'Israël; il avait été proclamé roi par le peuple, à l'instigation d'Élisée,
disciple du prophète Élie.

70 tous deux dans le temple, où l'enfant fut élevé secrètement jusqu'au
jour qu'il[1] fut proclamé roi de Juda. L'Histoire des *Rois* dit que ce
fut la septième année d'après. Mais le texte grec des *Paralipomènes*[2],
que Sévère Sulpice[3] a suivi, dit que ce fut la huitième. C'est ce qui
m'a autorisé à donner à ce prince neuf à dix ans, pour le mettre
déjà en état de répondre aux questions qu'on lui fait.

   Je crois ne lui avoir rien fait dire qui soit au-dessus de la portée
d'un enfant de cet âge, qui a de l'esprit et de la mémoire. Mais
quand j'aurais été un peu au delà, il faut considérer que c'est ici
un enfant tout extraordinaire, élevé dans le temple par un grand
80 prêtre, qui le regardant comme l'unique espérance de sa nation,
l'avait instruit de bonne heure dans tous les devoirs de la religion
et de la royauté. Il n'en était pas de même des enfants des Juifs que de
la plupart des nôtres. On leur apprenait les saintes Lettres[4], non
seulement dès qu'ils avaient atteint l'usage de la raison, mais, pour
me servir de l'expression de saint Paul, dès la mamelle. Chaque
Juif était obligé d'écrire une fois en sa vie, de sa propre main, le
volume de la Loi[5] tout entier. Les rois étaient même obligés de l'écrire
deux fois et il leur était enjoint de l'avoir continuellement devant
les yeux. Je puis dire ici que la France voit en la personne d'un prince
90 de huit ans et demi[6], qui fait aujourd'hui ses plus chères délices,
un exemple illustre de ce que peut dans un enfant un heureux naturel
aidé d'une excellente éducation; et que si j'avais donné au petit
Joas la même vivacité et le même discernement qui brillent dans les
reparties de ce jeune prince, on m'aurait accusé avec raison d'avoir
péché contre les règles de la vraisemblance.

   L'âge de Zacharie, fils du grand prêtre, n'étant point marqué,
on peut lui supposer, si l'on veut, deux ou trois ans de plus qu'à Joas.

   J'ai suivi l'explication de plusieurs commentateurs fort habiles,
qui prouvent, par le texte même de l'Écriture, que tous ces soldats
à qui Joïada, ou Joad, comme il est appelé dans Josèphe[7], fit prendre
100 les armes consacrées à Dieu par David, étaient autant de prêtres et
de lévites, aussi bien que les cinq centeniers qui les commandaient.
En effet, disent ces interprètes, tout devait être saint dans une si
sainte action, et aucun profane n'y devait être employé. Il s'y agissait

---

1. Jour où. — 2. Les *Paralipomènes*, c'est-à-dire les choses omises, complètent l'histoire
des *Rois*. — 3. Historien ecclésiastique du ive siècle. — 4. Les livres sacrés de l'Écriture. —
5. Les cinq livres du *Pentateuque;* ils contenaient la législation édictée par Moïse pour orga-
niser le culte, le droit politique, administratif et pénal des Israélites. — 6. Le duc de Bourgogne, petit-fils de Louis XIV, était né le 6 août 1682. Son éducation était dirigée par le
duc de Beauvilliers, Fénelon, les abbés de Beaumont et de Fleury. — 7. Flavius Josèphe,
historien grec (37?-100?), auteur de *la Guerre juive* et des *Antiquités juives*.

non seulement de conserver le sceptre dans la maison de David, mais encore de conserver à ce grand roi cette suite de descendants dont devait naître le Messie. « Car ce Messie, tant de fois promis comme fils d'Abraham, devait aussi être le fils de David et de tous les rois de Juda. » De là vient que l'illustre et savant prélat[1] de 110 qui j'ai emprunté ces paroles, appelle Joas le précieux reste de la maison de David. Josèphe en parle dans les mêmes termes, Et l'Écriture dit expressément que Dieu n'extermina pas toute la famille de Joram, voulant conserver à David la lampe qu'il lui avait promise. Or cette lampe, qu'était-ce autre chose que la lumière qui devait être un jour révélée aux nations?

L'histoire ne spécifie point le jour où Joas fut proclamé. Quelques interprètes veulent que ce fût un jour de fête. J'ai choisi celle de la Pentecôte, qui était l'une des trois grandes fêtes des Juifs[2]. On y célébrait la mémoire de la publication de la loi[3] sur le mont de Sinaï, 120 et on y offrait aussi à Dieu les premiers pains de la nouvelle moisson ; ce qui faisait qu'on la nommait encore la fête des prémices. J'ai songé que ces circonstances me fourniraient quelque variété pour les chants du chœur.

Ce chœur est composé de jeunes filles de la tribu de Lévi, et je mets à leur tête une fille que je donne pour sœur à Zacharie. C'est elle qui introduit le chœur chez sa mère. Elle chante avec lui, porte la parole pour lui, et fait enfin les fonctions de ce personnage des anciens chœurs qu'on appelait le coryphée. J'ai aussi essayé d'imiter des anciens cette continuité d'action qui fait que leur théâtre ne 130 demeure jamais vide; les intervalles des actes n'étant marqués que par des hymnes et par des moralités du chœur, qui ont rapport à ce qui se passe[4].

On me trouvera peut-être un peu hardi d'avoir osé mettre sur la scène un prophète inspiré de Dieu, et qui prédit l'avenir. Mais j'ai eu la précaution de ne mettre dans sa bouche que des expressions tirées des prophètes mêmes. Quoique l'Écriture ne dise pas en termes exprès que Joïada ait eu l'esprit de prophétie, comme elle le dit de son fils, elle le représente comme un homme tout plein de l'esprit de Dieu. Et d'ailleurs ne paraît-il pas par l'Évangile qu'il a pu 140 prophétiser en qualité de souverain pontife? Je suppose donc qu'il voit en esprit le funeste changement de Joas, qui, après trente années

---

1. *M. de Meaux* (Bossuet), précise Racine, en note. — 2. Les deux autres étaient celle des Azymes (la Pâque) et celle des Tabernacles. — 3. Le mot désigne ici, non plus le *Pentateuque*, mais les dix commandements de Dieu ou *Décalogue*. — 4. « Un des problèmes essentiels de la pièce est ici posé : comment Racine a-t-il pu concilier les Anciens dont il se réclame avec la Bible dont il est imprégné ? » (R. Picard, p. 1185.)

d'un règne fort pieux, s'abandonna aux mauvais conseils des flatteurs, et se souilla du meurtre de Zacharie, fils et successeur de ce grand prêtre. Ce meurtre, commis dans le temple, fut une des principales causes de la colère de Dieu contre les Juifs, et de tous les malheurs qui leur arrivèrent dans la suite. On prétend même que depuis ce jour-là les réponses de Dieu cessèrent entièrement dans le sanctuaire. C'est ce qui m'a donné lieu de faire prédire tout de suite à Joad et la destruction du temple et la ruine de Jérusalem. Mais comme les
150 prophètes joignent d'ordinaire les consolations aux menaces, et que d'ailleurs il s'agit de mettre sur le trône un des ancêtres du Messie, j'ai pris occasion de faire entrevoir la venue de ce consolateur, après lequel tous les anciens justes soupiraient. Cette scène, qui est une espèce d'épisode[1], amène très naturellement la musique, par la coutume qu'avaient plusieurs prophètes d'entrer dans leurs saints transports au son des instruments. Témoin cette troupe de prophètes qui vinrent au-devant de Saül avec des harpes et des lyres qu'on portait devant eux; et témoin Élisée lui-même, qui, étant consulté sur l'avenir par le roi de Juda et par le roi d'Israël, dit, comme fait
160 ici Joad : *Adducite mihi psaltem*[2]. Ajoutez à cela que cette prophétie sert beaucoup à augmenter le trouble dans la pièce, par la consternation et par les différents mouvements[3] où elle jette le chœur et les principaux acteurs.

---

1. Action incidente, liée à l'action principale. — 2. « Amenez-moi un joueur de harpe. » — 3. Agitations de l'âme.

■■

① Appréciez les lignes suivantes de Louis Racine *(Remarques sur Athalie)* : « Le silence que l'auteur garde sur la conduite de sa pièce, dans la Préface, est remarquable. Dans ses autres préfaces, il a coutume de parler de l'économie de sa tragédie, du succès qu'elle a eu, des critiques qu'il a essuyées; il se contente, dans celle-ci, d'instruire le lecteur du sujet et ne dit rien de la manière dont il l'a traité, ni de ce qu'il pense de son ouvrage. Comme cette tragédie n'avait point été représentée, il ignorait l'impression qu'elle pouvait faire sur les spectateurs; ainsi il n'ose rien dire; il est incertain si elle plaira aux lecteurs; il attend le jugement du public. »
② Recherchez les passages de la *Préface* où Racine exprime les idées qui lui tiennent à cœur : le souci de la documentation exacte, le respect pour le Roi et la « Maison de France »...

■■

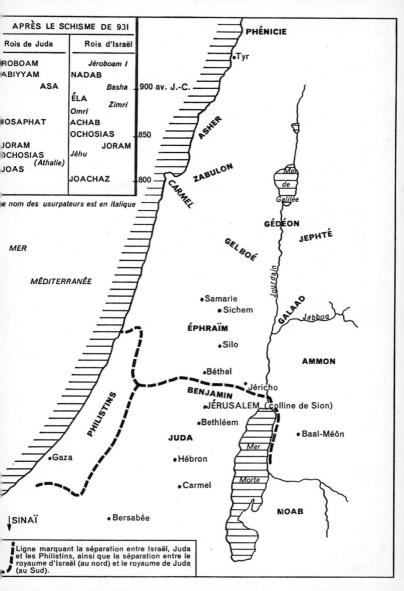

APRÈS LE SCHISME DE 931

Rois de Juda	Rois d'Israël	
ROBOAM	*Jéroboam I*	
ABIYYAM	NADAB	
ASA	*Basha*	900 av. J.-C.
	ÉLA	
	Zimri	
	Omri	
IOSAPHAT	ACHAB	
	OCHOSIAS	850
JORAM	JORAM	
OCHOSIAS	*Jéhu*	
(Athalie)		
JOAS	JOACHAZ	800

e nom des usurpateurs est en italique

PHÉNICIE

Tyr

ASHER

ZABULON

CARMEL

Mer de Galilée

GÉDÉON

JEPHTÉ

GELBOÉ

Jourdain

GALAAD

Jabboq

MER

MÉDITERRANÉE

Samarie
Sichem

ÉPHRAÏM

Silo

AMMON

Béthel

Jéricho

BENJAMIN

JÉRUSALEM (colline de Sion)

Bethléem

PHILISTINS

Baal-Méôn

Mer

JUDA

Hébron

Morte

Gaza

Carmel

MOAB

SINAÏ

Bersabée

Ligne marquant la séparation entre Israël, Juda
et les Philistins, ainsi que la séparation entre le
royaume d'Israël (au nord) et le royaume de Juda
(au Sud).

A.9

LES PERSONNAGES

JOAS, roi de Juda, fils d'Ochosias.

ATHALIE, veuve de Joram, aïeule de Joas.

JOAD, autrement JOÏADA, grand prêtre.

JOSABET, tante de Joas, femme du grand prêtre.

ZACHARIE, fils de Joad et de Josabet.

SALOMITH, sœur de Zacharie.

ABNER, l'un des principaux officiers des rois de Juda.

AZARIAS,
ISMAËL,
ET LES TROIS AUTRES CHEFS DES PRÊTRES ET DES LÉVITES.

MATHAN, prêtre apostat, sacrificateur de Baal.

NABAL, confident de Mathan.

AGAR, femme de la suite d'Athalie.

TROUPE DE PRÊTRES ET DE LÉVITES.

SUITE D'ATHALIE.

LA NOURRICE de Joas.

CHŒUR de jeunes filles de la tribu de Lévi.

La scène est dans le temple de Jérusalem,
dans un vestibule de l'appartement du grand prêtre.

ATHALIE

TRAGÉDIE
« RÉPÉTÉE » POUR LA PREMIÈRE FOIS
« SUR LE THÉATRE DE SAINT-CYR[1] »
LE 5e DU MOIS DE JANVIER 1691
PAR
LES DEMOISELLES DE SAINT-CYR

ACTE PREMIER

Scène première. — JOAD, ABNER.

ABNER. — Oui[2], je viens dans son temple adorer l'Éternel[3].
Je viens, selon l'usage antique et solennel[4],
Célébrer avec vous la fameuse[5] journée
Où sur le mont Sina[6] la loi[7] nous fut donnée.
Que les temps sont changés! Sitôt que de ce jour[8]
La trompette sacrée[9] annonçait le retour,
Du temple, orné partout de festons magnifiques,
Le peuple saint[10] en foule inondait les portiques;
Et tous devant l'autel avec ordre introduits,
10 De leurs champs dans leurs mains portant les nouveaux
[fruits,
Au Dieu de l'univers consacraient ces prémices[11].
Les prêtres ne pouvaient suffire aux sacrifices.
L'audace d'une femme, arrêtant ce concours[12],
En des jours ténébreux a changé ces beaux jours.
D'adorateurs zélés[13] à peine un petit nombre
Ose des premiers temps nous retracer quelque ombre.
Le reste pour son Dieu montre un oubli fatal[14],
Ou même, s'empressant aux autels de Baal[15],

---

1. Selon les termes employés par Louis Racine dans l'ouvrage consacré à son père. — 2. Début brusque, souvent employé par Racine pour entraîner les spectateurs en pleine action, mais ce n'est pas une conversation qui continue. — 3. En nommant Dieu, personnage principal de la pièce, Racine crée l'atmosphère religieuse du drame. — 4. Sens étymologique : qui a lieu une fois l'an. — 5. De glorieuse mémoire. — 6. Voir la préface p. 31, l. 119. — 7. Voir la préface p. 31, l. 119. — 8. La Pentecôte; voir p. 31, l. 118 et les vers 322 et suiv. — 9. C'était, chez les Juifs, un instrument sacré. — 10. Le peuple juif. — 11. Premiers fruits de la récolte qu'on offrait à la divinité. — 12. Cette affluence. — 13. Empressés au service de Dieu. — 14. Qui causera sa perte. — 15. Dieu du soleil chez les Phéniciens et les Assyriens; Athalie en avait introduit le culte à Jérusalem

Se fait initier à ses honteux mystères,
20 Et blasphème le nom qu'ont invoqué leurs pères.
Je tremble qu'Athalie, à ne vous rien cacher,
Vous-même de l'autel vous faisant arracher,
N'achève enfin sur vous ses vengeances funestes,
Et d'un respect forcé[1] ne dépouille les restes.

JOAD. — D'où vous vient aujourd'hui ce noir pressentiment?

ABNER. — Pensez-vous être saint et juste impunément[2]?
Dès longtemps[3] elle hait cette fermeté rare
Qui rehausse en Joad l'éclat de la tiare[4].
Dès longtemps[5] votre amour pour la religion
30 Est traité de révolte et de sédition.
Du mérite éclatant cette reine jalouse
Hait surtout Josabet, votre fidèle épouse.
Si du grand prêtre Aaron[6] Joad est successeur,
De notre dernier roi[7] Josabet est la sœur.
Mathan d'ailleurs, Mathan, ce prêtre sacrilège,
Plus méchant qu'Athalie, à toute heure l'assiège[8];
Mathan, de nos autels infâme déserteur,
Et de toute vertu zélé persécuteur.
C'est peu que le front ceint d'une mitre[9] étrangère,
40 Ce lévite à Baal prête son ministère :
Ce temple l'importune, et son impiété
Voudrait anéantir le Dieu qu'il a quitté.
Pour vous perdre il n'est point de ressorts[10] qu'il n'invente[11] :
Quelquefois il vous plaint, souvent même il vous vante;
Il affecte pour vous une fausse douceur,
Et par là de son fiel[12] colorant[13] la noirceur,
Tantôt à cette reine il vous peint redoutable,
Tantôt, voyant pour sa soif insatiable,
Il lui feint[14] qu'en un lieu que vous seul connaissez,
50 Vous cachez des trésors par David amassés.
Enfin depuis deux jours la superbe[15] Athalie

---

1. Qui n'est pas sincère. — 2. Sans être puni; noter l'alliance *saint-impunément*. — 3. Depuis longtemps. — 4. Coiffure du grand prêtre chez les Hébreux. — 5. Répétition voulue qui souligne le caractère passionné et obstiné de la reine. — 6. Frère aîné de Moïse, placé par lui à la tête des lévites, Israélites de la tribu de Lévi, voués au service du Temple; voir le v. 40. — 7. Ochosias. — 8. L'obsède. — 9. Coiffure des anciens prêtres de l'Asie. — 10. Machinations — 11. Variante (1ʳᵉ édition, 1691) : « Pour vous perdre, il n'est point de ressorts qu'il *ne joue*; — Quelquefois il vous plaint, souvent même il vous *loue*. » — 12. Amertume qui s'accompagne de jalousie ou d'hypocrisie. — 13. Déguisant. — 14. Il lui fait croire. — 15. Orgueilleuse.

Dans un sombre chagrin paraît ensevelie.
Je l'observais hier, et je voyais ses yeux
Lancer sur le lieu saint[1] des regards furieux,
Comme si dans le fond de ce vaste édifice
Dieu cachait un vengeur armé pour son supplice.
Croyez-moi, plus j'y pense, et moins je puis douter
Que sur vous son courroux ne soit prêt d'éclater[2],
Et que de Jézabel la fille sanguinaire
60 Ne vienne attaquer Dieu jusqu'en son sanctuaire.

JOAD. — Celui qui met un frein à la fureur des flots[3]
Sait aussi des méchants arrêter les complots.
Soumis avec respect à sa volonté sainte,
Je crains Dieu, cher Abner, et n'ai point d'autre crainte.
Cependant je rends grâce au zèle officieux[4]
Qui sur tous mes périls vous fait ouvrir les yeux.
Je vois que l'injustice en secret vous irrite,
Que vous avez encore le cœur israélite.
Le Ciel en soit béni. Mais ce secret courroux,
70 Cette oisive vertu, vous en contentez-vous?
La foi qui n'agit point, est-ce une foi sincère?

---

1. Voir la préface, p. 28, l. 25-28. — 2. Près de, sur le point de. — 3. Ces vers rappellent l'exorde de l'oraison funèbre d'Henriette d'Angleterre prononcée par Bossuet : « Celui qui règne dans les cieux... » — 4. Qui cherche à rendre service.

■■

● **L'exposition** — L'exposition d'*Athalie* est une des plus belles expositions qui soient dans notre théâtre classique.
Ce qu'elle nous apprend : le lieu de l'action; le jour; le nom et la qualité des personnages qui sont en scène (JOAD à la foi inébranlable et militante; ABNER, loyal mais timide); de ceux qui joueront un rôle dans la pièce (la superbe Athalie, assoiffée d'or — voir le dénouement —, reine jalouse, ensevelie dans un sombre chagrin; Mathan, le mauvais génie d'Athalie, prêtre apostat que le temple importune).
Comment elle nous l'apprend. Le poète ne doit pas instruire directement le public de ce qui va se passer, il détruirait par avance l'attrait de curiosité. En répondant aux questions suivantes, montrez que l'exposition d'*Athalie* évite cet écueil :
① Joad a-t-il l'occasion de voir souvent Abner? L'aurait-il déjà entretenu de la question dynastique et d'une restauration éventuelle?
Comment elle prépare la poésie du sujet : dès les premiers vers, l'atmosphère poétique est créée, des images se lèvent devant les yeux du spectateur : le cadre de l'action, la pompe des solennités religieuses, les merveilles de l'histoire d'Israël.
② De tous les personnages principaux, seul Joas n'est pas nommé. Pourquoi?
③ Appréciez la beauté du vers 64.

■■

Huit ans déjà passés[1], une impie étrangère
Du sceptre de David usurpe tous les droits,
Se baigne impunément dans le sang de nos rois,
Des enfants de son fils détestable[2] homicide,
Et même contre Dieu lève son bras perfide.
Et vous, l'un des soutiens de ce tremblant[3] État,
Vous, nourri[4] dans les camps du saint roi Josaphat[5],
Qui sous son fils Joram commandiez nos armées,
80 Qui rassurâtes seul nos villes alarmées,
Lorsque d'Ochosias le trépas imprévu[6]
Dispersa tout son camp à l'aspect de Jéhu[7],
« Je crains Dieu, dites-vous, sa vérité me touche. »
Voici comme[8] ce Dieu vous répond par ma bouche :
« Du zèle de ma loi[9] que sert de vous parer[10]?
Par de stériles vœux pensez-vous m'honorer?
Quel fruit[11] me revient-il de tous vos sacrifices?
Ai-je besoin du sang des boucs et des génisses?
Le sang de vos rois crie[12], et n'est point écouté.
90 Rompez, rompez tout pacte avec l'impiété,
Du milieu de mon peuple exterminez[13] les crimes,
Et vous viendrez alors m'immoler des[14] victimes. »

ABNER.   — Hé! que puis-je au milieu de ce peuple abattu?
Benjamin[15] est sans force, et Juda[15] sans vertu[16].
Le jour qui de leurs rois vit éteindre la race[17]
Éteignit tout le feu de leur antique audace.
« Dieu même, disent-ils, s'est retiré de nous :
De l'honneur des Hébreux autrefois si jaloux[18],
Il voit sans intérêt[19] leur grandeur terrassée;
100 Et sa miséricorde à la fin s'est lassée.
On ne voit plus pour nous ses redoutables mains
De merveilles[20] sans nombre effrayer les humains;
L'arche sainte[21] est muette, et ne rend plus d'oracles. »

---

1. Huit ans sont déjà passés depuis que. — 2. Qu'on doit maudire; voir le v. 1788 et la préface, p. 29, l. 64. — 3. Chancelant. — 4. Élevé, voir le v. 267. — 5. Roi de Juda. — 6. Voir la préface, p. 29, l. 57. — 7. Voir la préface, p. 29, l. 59. — 8. Comment. — 9. De votre zèle pour ma loi. — 10. Faire étalage. — 11. Avantage. — 12. Voir la *Genèse*, IV, 10 : « Le sang de ton frère crie de la terre vers moi. » — 13. Chassez, faites disparaître. — 14. Variante (1691-92) : « vos victimes ». — 15. Voir la préface, p. 28, l. 2. — 16. Énergie. — 17. Le massacre des enfants d'Ochosias par Athalie est rappelé aux vers 243 et suiv. — 18. Zélé pour. — 19. Sans y porter d'intérêt. — 20. Prodiges. — 21. Coffre où étaient enfermées les tables de la loi données à Moïse; voir la préface, p. 28, l. 28-30.

JOAD. — Et[1] quel temps fut jamais si fertile en miracles ?
Quand Dieu par plus d'effets[2] montra-t-il son pouvoir ?
Auras-tu donc toujours des yeux pour ne point voir,
Peuple ingrat ? Quoi ? toujours les plus grandes merveilles
Sans ébranler ton cœur frapperont tes oreilles ?
Faut-il, Abner, faut-il vous rappeler le cours[3]
110 Des prodiges fameux accomplis en nos jours ?
Des tyrans d'Israël les célèbres disgrâces[4],
Et Dieu trouvé fidèle[5] en toutes ses menaces ;
L'impie Achab[6] détruit[7], et de son sang trempé
Le champ[8] que par le meurtre il avait usurpé ;
Près de ce champ fatal Jézabel immolée,
Sous les pieds des chevaux cette reine foulée,
Dans son sang inhumain les chiens désaltérés,
Et de son corps hideux les membres déchirés[9] ;
Des prophètes menteurs la troupe confondue[10],
120 Et la flamme du Ciel sur l'autel descendue ;
Élie[11] aux éléments parlant en souverain,
Les cieux par lui fermés et devenus d'airain,
Et la terre trois ans sans pluie et sans rosée[12] ;
Les morts se ranimant[13] à la voix d'Élisée[14] :
Reconnaissez, Abner, à ces traits éclatants,
Un Dieu tel aujourd'hui qu'il fut dans tous les temps,
Il sait, quand il lui plaît, faire éclater sa gloire,
Et son peuple est toujours présent à sa mémoire.

---

1. Sens très fort d'opposition : et pourtant. — 2. D'actes. — 3. La succession. — 4. Malheurs. — 5. Fidèle à sa parole ; cette construction du participe passé remplaçant un substantif abstrait (voir aussi le vers suivant) est un souvenir du latin. — 6. Préface, p. 29, l. 44. — 7. Mis à mort. — 8. La vigne : préface, p. 29, l. 61. — 9. Préface, p. 29, l. 61. — 10. Convaincue de mensonge. — 11. Prophète, disciple d'Élie ; il s'agit de la résurrection du fils de la Sunamite. — 12. Voir l'épître de saint Jacques (V. 17, 18). — 13. Ce participe présent pronominal a la valeur du passif : ranimés. — 14. Voir p. 29, n. 1.

■■

● **La tirade de Joad** — Toute cette tirade est inspirée de Dieu, c'est lui qui donne cet accent plein de grandeur et de passion au langage de Joad.
① Faites le commentaire littéraire de cette tirade : grandeur des images en rapport avec la grandeur de la pensée ; propriété des termes ; expressions fameuses par leur concision.
② Le rythme : étudiez les effets du rythme, et en particulier celui du vers ternaire ; à propos du vers 87, M. Moreau écrit qu'il se prête à l'évocation du verset biblique en sa hiératique solennité.
③ Les rejets : étudiez-les, notamment le rejet du mot *peuple* aux vers 106-107.

■■

ABNER.   — Mais où sont ces honneurs à David tant promis,
130   Et prédits même encore à Salomon son fils[1]?
     Hélas! nous espérions que de leur race heureuse
     Devait sortir de rois une suite nombreuse;
     Que sur toute tribu, sur toute nation,
     L'un d'eux établirait sa domination,
     Ferait cesser partout la discorde et la guerre,
     Et verrait à ses pieds tous les rois de la terre.

JOAD.   — Aux promesses du Ciel pourquoi renoncez-vous?

ABNER.   — Ce roi fils de David, où le chercherons-nous?
     Le Ciel même peut-il réparer les ruines[2]
140   De cet arbre séché jusque dans ses racines?
     Athalie étouffa l'enfant même au berceau[3].
     Les morts, après huit ans[4], sortent-ils du tombeau?
     Ah! si dans sa fureur[5] elle s'était trompée,
     Si du sang de nos rois quelque goutte échappée...

JOAD.   — Hé bien? que feriez-vous?

ABNER.   —   O jour heureux pour moi!
     De[6] quelle ardeur j'irais reconnaître mon roi!
     Doutez-vous qu'à ses pieds nos tribus empressées...
     Mais pourquoi me flatter[7] de ces vaines pensées?
     Déplorable[8] héritier de ces rois triomphants,
150   Ochosias restait seul avec ses enfants.
     Par les traits de Jéhu je vis percer le père[9],
     Vous avez vu les fils massacrés par la mère.

JOAD.   — Je ne m'explique point[10]. Mais quand l'astre du jour
     Aura sur l'horizon fait le tiers de son tour,
     Lorsque la troisième heure[11] aux prières rappelle,
     Retrouvez-vous au temple avec ce même zèle.
     Dieu pourra vous montrer par d'importants bienfaits
     Que sa parole est stable et ne trompe jamais.
     Allez : pour ce grand jour il faut que je m'apprête,
160   Et du temple déjà l'aube blanchit le faîte[12].

---

1. Au XVIIe s., on prononçait *fi*(ls). — 2. Débris. — 3. Préface, p. 29, l. 62-68. — 4. Préface, p. 30, l. 71-73; voir les v. 243 et suiv. — 5. Folie. — 6. Avec. — 7. Me leurrer. — 8. Digne d'être pleuré. — 9. Voir page 29. — 10. Le moment de parler n'est pas encore venu. — 11. Huit heures du matin, l'heure du sacrifice. — 12. Le grand prêtre, avant le sacrifice, devait se purifier par des ablutions.

ABNER. — Quel sera ce bienfait que je ne comprends pas?
L'illustre Josabet porte vers vous ses pas.
Je sors, et vais me joindre à la troupe fidèle
Qu'attire[1] de ce jour la pompe[2] solennelle.

SCÈNE II. — JOAD, JOSABET.

JOAD. — Les temps sont accomplis, Princesse : il faut parler,
Et votre heureux larcin ne se peut plus celer[3].
Des ennemis de Dieu la coupable[4] insolence,
Abusant contre lui de ce profond silence,
170 Accuse trop longtemps ses promesses d'erreur[5].
Que dis-je? Le succès animant leur fureur,
Jusque sur notre autel votre injuste[6] marâtre[7]
Veut offrir à Baal un encens idolâtre.

---

1. Voir Euripide, *Iphigénie en Aulide*, v. 155-6, et Sophocle, *Électre*, v. 171. — 2. Le cortège. — 3. Ne peut plus être celé. — 4. Au XVIIᵉ s., l'adjectif épithète précédait souvent le nom. — 5. De tromperie. — 6. Dont le pouvoir est contraire au droit. — 7. Athalie. Voir la généalogie, p. 25

■■

● **Les caractères** — Celui de JOAD se précise. C'est un conspirateur rusé, un fin politique qui, méditant de faire couronner Joas le jour même, a besoin de connaître les dispositions d'un personnage dont l'appui peut lui être précieux. Joad s'informe très habilement, entretenant l'espoir d'Abner, affermissant sa foi (v. 128, 137, 158), excitant son zèle et son énergie, sans toutefois livrer prématurément son secret.
① Pourquoi Joad élude-t-il les questions trop directes de son interlocuteur?
ABNER. « La situation de cet officier, si bien intentionné soit-il, est ambiguë, pour ne pas dire équivoque. Il a très correctement servi sous les rois légitimes, c'est-à-dire le beau-père, puis l'époux, puis le fils d'Athalie. Athalie l'a maintenu dans son grade de général, mais elle ne lui a confié aucun commandement effectif. » Quel espoir Joad peut-il fonder sur un rallié, un pied au temple, l'autre au palais, sur un commensal de Mathan qu'il réprouve mais dont il accepte la familiarité?
● **L'exposition** — Depuis le *oui* d'Abner, l'exposition prépare l'avenir et se complète. Ainsi le vers 145 fait prévoir le ralliement d'Abner à la cause de Joas, tandis que le vers 160 apporte une nouvelle précision à l'unité de temps : l'heure. C'est le matin. Et la rencontre décisive qui déchaînera l'événement final est annoncée pour *la troisième heure* (v. 155) : Athalie mourra avant le soir.
② Quelle haute leçon morale Joad donne-t-il à Abner?
③ Appréciez ces lignes de G. Le Roy : « Cette scène est un modèle précieux pour l'étude de l'art tragique où le mouvement se développe et s'accroît en se nourrissant de deux rythmes contraires. Joad pousse et avance. Abner freine. »

■■

Montrons ce jeune roi que vos mains ont sauvé,
Sous l'aile du Seigneur[1] dans le temple élevé.
De nos princes hébreux il aura le courage,
Et déjà son esprit[2] a devancé son âge.
Avant que son destin s'explique[3] par ma voix,
Je vais l'offrir au Dieu par qui règnent les rois[4].
Aussitôt assemblant nos lévites, nos prêtres,
180 Je leur déclarerai[5] l'héritier de leurs maîtres.

JOSABET.   — Sait-il déjà son nom et son noble destin?

JOAD.   — Il ne répond encore qu'au nom d'Éliacin,
Et se croit quelque enfant rejeté par sa mère,
A qui j'ai par pitié daigné servir de père.

JOSABET.   — Hélas! de quel péril je l'avais su tirer!
Dans quel péril encore est-il prêt de[6] rentrer!

JOAD.   — Quoi? déjà votre foi s'affaiblit et s'étonne[7]?

JOSABET.   — A vos sages conseils[8], Seigneur, je m'abandonne.
Du jour que[9] j'arrachai cet enfant à la mort,
190 Je remis en vos mains tout le soin de son sort.
Même, de mon amour craignant la violence,
Autant que je le puis, j'évite sa présence,
De peur qu'en le voyant[10], quelque trouble indiscret[11]
Ne fasse avec mes pleurs échapper mon secret.
Surtout j'ai cru devoir aux larmes, aux prières[12]
Consacrer ces trois jours et ces trois nuits entières.
Cependant aujourd'hui puis-je vous demander
Quels amis vous avez, prêts à vous seconder?
Abner, le brave[13] Abner viendra-t-il nous défendre?
200 A-t-il près de son roi fait serment de se rendre?

JOAD.   — Abner, quoiqu'on se pût assurer sur sa foi[14],
Ne sait pas même encor si nous avons un roi.

JOSABET.   — Mais à qui de Joas confiez-vous la garde?
Est-ce Obed, est-ce Amnon[15] que cet honneur regarde?
De mon père sur eux les bienfaits répandus...

JOAD.   — A l'injuste[16] Athalie ils se sont tous vendus.

JOSABET.   — Qui donc opposez-vous contre[17] ses satellites?

---

1. Image biblique. — 2. Son intelligence. — 3. Soit expliqué. — 4. Pour Joad, la fonction royale est une mission divine; voir *Proverbes*, VIII, 15. — 5. Ferai connaître. — 6. Voir le v. 58. — 7. Est affaiblie et troublée. — 8. Résolutions. — 9. A partir du jour où. — 10. Si je le voyais. — 11. Qui révélerait mon secret. — 12. L'intervention de Dieu se fait à la prière des croyants, et celle-ci évoque les retraites de Port-Royal. — 13. Courageux. — 14. On pourrait avoir confiance en sa fidélité mais... — 15. Noms pris dans la Bible. — 16. Voir le v. 172. — 17. Opposez-vous à.

JOAD. — Ne vous l'ai-je pas dit? Nos prêtres, nos lévites.

JOSABET. — Je sais que près de vous en secret assemblé,
210 Par vos soins prévoyants leur nombre est redoublé[1];
Que pleins d'amour pour vous, d'horreur pour Athalie,
Un serment solennel par avance les lie
A ce fils de David qu'on leur doit révéler.
Mais quelque noble ardeur dont[2] ils puissent brûler,
Peuvent-ils de leur roi venger seuls la querelle[3]?
Pour un si grand ouvrage est-ce assez de leur zèle[4]?
Doutez-vous qu'Athalie, au premier bruit semé
Qu'un fils d'Ochosias est ici renfermé,
De ses fiers[5] étrangers assemblant les cohortes,
220 N'environne le temple, et n'en brise les portes?
Suffira-t-il contre eux de vos ministres saints,
Qui levant au[6] Seigneur leurs innocentes mains,
Ne savent que gémir et prier pour nos crimes[7],
Et n'ont jamais versé que le sang des victimes?
Peut-être dans leurs bras Joas percé de coups...

---

1. Doublé. — 2. De quelque noble ardeur que. — 3. La cause. — 4. Voir le v. 65.
— 5. Sauvages. — 6. Vers le. — 7. Sens religieux : infractions à la loi divine.

■■

- **L'exposition** — Les premiers vers de la sc. 2 nous apprennent les projets du grand prêtre à l'égard de Joas. L'exposition est maintenant complète, vraisemblable et poétique à la fois.
- **Les caractères** — Un personnage nouveau entre en scène, JOSABET. Elle a confiance en sa prière (v. 195-196), et pourtant elle recherche des appuis humains contre les étrangers (v. 219) qui forment l'armée d'Athalie. Sa foi est craintive. Elle est possédée par la vision épouvantable, *horrible* (v. 241) de l'égorgement des princes. Sa souffrance croît au fur et à mesure qu'avance l'action décidée par Joad. D'abord froid dans sa réponse du vers 206, agacé, JOAD affirme une nouvelle fois l'essentiel (v. 226 et suiv.) en rappelant que la toute-puissance est du côté de Dieu. Contre Josabet et Abner, Joad est *seul*, il est le chef qui doit répéter toujours les mêmes vérités. ABNER a une foi molle, et pourtant sa présence rassure Josabet.
- **L'exposition et l'action** — En se renseignant elle-même, Josabet nous renseigne sur les auxiliaires en qui Joad a mis sa confiance; puis elle dresse (v. 221-225) un tableau annonciateur du dénouement, où s'opposent la puissance et la foi. Le tableau du carnage, en complétant l'exposition, participe à l'action.
  ① Pensez-vous que l'on puisse affirmer, comme certains l'ont fait, qu'il n'y a pas d'amour maternel dans le théâtre de Racine?

■■

JOAD. — Et comptez-vous pour rien Dieu qui combat pour nous?
Dieu, qui de l'orphelin protège l'innocence[1],
Et fait dans la faiblesse[2] éclater[3] sa puissance;
Dieu, qui hait les tyrans, et qui dans Jezraël
230 Jura d'exterminer Achab et Jézabel[4];
Dieu, qui frappant Joram, le mari de leur fille,
A jusque sur son fils[5] poursuivi leur famille;
Dieu, dont le bras vengeur, pour un temps suspendu,
Sur cette race impie est toujours étendu.

JOSABET. — Et c'est sur tous ces rois sa justice sévère[6]
Que je crains pour le fils de mon malheureux frère.
Qui sait si cet enfant, par leur crime entraîné,
Avec eux en naissant ne fut pas condamné?
Si Dieu, le séparant d'une odieuse race,
240 En faveur de David voudra lui faire grâce[7]?
Hélas! l'état horrible où[8] le Ciel me l'offrit
Revient à tout moment effrayer mon esprit.
De princes égorgés la chambre était remplie.
Un poignard à la main, l'implacable Athalie
Au carnage animait ses barbares soldats,
Et poursuivait le cours de ses assassinats.
Joas, laissé pour mort, frappa soudain ma vue.
Je me figure[9] encor sa nourrice éperdue,
Qui devant les bourreaux s'était jetée en vain,
250 Et faible le tenait renversé sur son sein.
Je le pris tout sanglant. En baignant son visage,
Mes pleurs du sentiment lui rendirent l'usage;
Et soit frayeur encore, ou[10] pour me caresser, :
De ses bras innocents je me sentis presser.
Grand Dieu, que mon amour ne lui soit point funeste.
Du fidèle David c'est le précieux reste[11].
Nourri[12] dans ta maison, en[13] l'amour de ta loi[14],
Il ne connaît encor d'autre père que toi.
Sur le point d'attaquer une reine homicide,

---

1. Les mots *innocence, orphelin, enfance*, qui sont les mots-clés du drame, comme dans *Esther*, apparaîtront souvent à la rime; voir les v. 775 et 634. — 2. Chez les faibles. — 3. Se manifester avec éclat. — 4. Préface, p. 29. — 5. Ochosias. — 6. C'est sa justice sévère qui s'est exercée sur. — 7. L'*a* de *race* est bref, celui de *grâce* est long; mais, au xviie s., les rimes d'une longue et d'une brève étaient tolérées. — 8. Dans lequel. — 9. Je me représente. — 10. *Soit ... ou* pour, *soit ... soit* est courant au xviie s. — 11. Préface, p. 31, l. 110. — 12. Élevé. — 13. Dans. — 14. Les préceptes de la religion.

²⁶⁰ A l'aspect du péril si ma foi s'intimide,
Si la chair et le sang[1], se troublant aujourd'hui,
Ont trop de part aux pleurs que je répands pour lui,
Conserve l'héritier de tes saintes promesses,
Et ne punis que moi de toutes mes faiblesses.

JOAD. — Vos larmes, Josabet, n'ont rien de criminel;
Mais Dieu veut qu'on espère en son soin[2] paternel.
Il ne recherche point[3], aveugle en sa colère,
Sur le fils qui le craint l'impiété du père.
Tout ce qui reste encor de fidèles Hébreux
²⁷⁰ Lui viendront[4] aujourd'hui renouveler leurs vœux.
Autant que de David la race est respectée,
Autant de Jézabel la fille est détestée[5].
Joas les touchera par sa noble pudeur[6],
Où[7] semble de son sang reluire la splendeur;
Et Dieu, par sa voix même appuyant notre exemple,
De plus près à leur cœur parlera dans son temple.
Deux infidèles rois[8] tour à tour l'ont bravé :

---

1. Le corps humain non fortifié par le secours divin. — 2. Sa sollicitude. — 3. Il ne poursuit point; voir *Ézéchiel*, XVIII, 19, 20. — 4. Le verbe au pluriel, après *tout* au singulier, est une syllepse (accord avec l'idée, non avec le mot qui l'exprime). — 5. Maudite. — 6. Modestie. — 7. Dans laquelle. — 8. Joram et Ochosias.

● **Une vision horrible** — La détermination de Joad et le sentiment d'un nouveau danger imminent ont ébranlé Josabet. Elle est véritablement la proie d'une vision tragique. Sensations visuelles : elle revoit ce qu'elle a vu; sensations tactiles : les mains de Josabet touchent le sang de l'enfant, ses pleurs mouillent le visage de l'enfant et lui font retrouver le sentiment; les petits bras tout saignants pressent Josabet.

● **Les deux prières.** Deux prières successives (v. 255-264 et 283-294) terminent cette scène. Un même esprit de piété les anime, et pourtant quelle différence! Qu'on lui conserve la vie même au prix de la sienne! souhaite Josabet. Qu'il règne et qu'il mérite ce qu'on a fait pour lui! voilà le vœu de Joad.

① Montrez que ces deux prières font ressortir la différence des caractères de Joad et de Josabet.

② L'émotion tragique, selon Aristote, est faite de pitié et de crainte. Montrez que, par le récit pathétique de JOSABET, Racine sait provoquer en nous la pitié.

③ Étudiez le jugement suivant : « Josabet est la dernière création du poète dans un ordre de peinture où il excelle : celle de l'âme féminine. Elle est une sœur accomplie des Andromaque, des Junie, des Iphigénie, des Monime, et a droit à une place dans ce groupe, assez près d'Andromaque, comme type, elle aussi, et l'un des plus parfaits de l'amour maternel » (François Mauriac).

Il faut que sur le trône un roi soit élevé,
Qui se souvienne un jour qu'au rang de ses ancêtres
280 Dieu l'a fait remonter par la main de ses prêtres,
L'a tiré par leur main de l'oubli du tombeau,
Et de David[1] éteint rallumé le flambeau.

Grand Dieu, si tu prévois qu'indigne de sa race,
Il doive de David abandonner la trace,
Qu'il soit comme le fruit en naissant arraché,
Ou qu'un souffle ennemi dans sa fleur a séché.
Mais si ce même enfant, à tes ordres docile,
Doit être à tes desseins un instrument utile,
Fais qu'au juste[2] héritier le sceptre soit remis;
290 Livre en mes faibles mains ses puissants ennemis;
Confonds[3] dans ses conseils[4] une reine cruelle.
Daigne, daigne, mon Dieu, sur Mathan et sur elle
Répandre cet esprit d'imprudence et d'erreur[5],
De la chute des rois funeste avant-coureur.

L'heure me presse : adieu. Des plus saintes familles
Votre fils et sa sœur vous amènent les filles[6].

SCÈNE III. — JOSABET, ZACHARIE, SALOMITH,

LE CHŒUR.

JOSABET. — Cher Zacharie, allez, ne vous arrêtez pas,
De votre auguste[7] père accompagnez les pas.
O filles de Lévi, troupe jeune et fidèle
300 Que déjà le Seigneur embrase de son zèle,
Qui venez si souvent partager mes soupirs,
Enfants, ma seule joie en mes longs déplaisirs[8],
Ces festons dans vos mains et ces fleurs sur vos têtes
Autrefois convenaient à nos pompeuses[9] fêtes.
Mais, hélas ! en ce temps d'opprobre et de douleurs,
Quelle offrande sied mieux que celle de nos pleurs?
J'entends déjà, j'entends la trompette sacrée[10],
Et du temple bientôt on permettra l'entrée.
Tandis que je me vais préparer à marcher[11],
310 Chantez, louez le Dieu que vous venez chercher.

---

1. Métonymie : la maison de David. — 2. Légitime. — 3. Trouble profondément. — 4. Desseins. — 5. Égarement. — 6. Racine reprend explicitement, dans ces quatre vers, l'idée biblique du *Infatua quaeso, Domine, consilium Achitophel* qui ne reçut qu'en 1847 la forme : *Quos vult perdere Jupiter demantat prius*. — 7. Saint. — 8. Douleurs. — 9. Glorieuses. — 10. Voir le v. 6. — 11. Aller en procession solennelle.

SCÈNE IV. — LE CHŒUR.

TOUT LE CHŒUR chante.

Tout l'univers est plein de sa magnificence.
Qu'on l'adore ce Dieu, qu'on l'invoque à jamais.
Son empire a des temps précédé la naissance.
    Chantons, publions[1] ses bienfaits.

UNE VOIX, seule.

    En vain l'injuste violence
Au peuple qui le loue imposerait silence,
        Son nom ne périra jamais.
Le jour annonce au jour sa gloire[2] et sa puissance.
Tout l'univers est plein de sa magnificence :
320   *Chantons, publions ses bienfaits.*

TOUT LE CHŒUR répète.

Tout l'univers est plein de sa magnificence :
    Chantons, publions ses bienfaits.

UNE VOIX, seule.

Il donne aux fleurs leur aimable peinture[3].
Il fait naître et mûrir les fruits.
    Il leur dispense[4] avec mesure

---

1. Proclamons hautement. — 2. La splendeur divine. — 3. Leurs couleurs. — 4. Distribue.

■■■

- **Les caractères** — Josabet est rassérénée, et désormais plus confiante. En appelant les jeunes filles du chœur, elle nous informe que nous allons entendre un chant de louange et d'amour.
- **Le chœur et l'action** — Racine nous a dit, dans sa Préface (p. 31, l. 124-132), qu'il n'y a pas d'entracte dans *Athalie*. Elle fait donc écho aux scènes précédentes où Joad réveillait la foi timide d'Abner et encourageait la foi craintive de son épouse. Elle nous avertit aussi que Dieu sera présent partout et toujours et que c'est Lui qui dirigera les événements.

— *Par la forme*. La musique et le spectacle sont en harmonie avec l'action tout intérieure de la pièce : musique gracieuse comme il convient à un chant d'amour; évolution harmonieuse de jeunes filles qui exécutent avec tendresse et modestie le rite traditionnel du peuple juif.

— *Par le fond*. La prière des jeunes filles est une affirmation de fidélité et de confiante certitude en la puissance divine. Elle fait donc écho aux scènes précédentes où Joad réveillait la foi timide d'Abner et encourageait la foi craintive de son épouse. Elle nous avertit aussi que Dieu sera présent partout et toujours et que c'est Lui qui dirigera les événements.

■■■

Et la chaleur des jours et la fraîcheur des nuits;
Le champ qui les reçut les rend avec usure.

UNE AUTRE.

Il commande au soleil d'animer la nature[1],
            Et la lumière est un don de ses mains;
330   *Mais sa loi sainte, sa loi pure*
Est le plus riche don qu'il ait fait aux humains.

UNE AUTRE.

O mont de Sinaï[2], conserve la mémoire
De ce jour à jamais auguste et renommé,
            Quand, sur ton sommet enflammé[3],
Dans un nuage épais le Seigneur enfermé
Fit luire aux yeux mortels un rayon de sa gloire.
        Dis-nous pourquoi ces feux et ces éclairs,
Ces torrents de fumée, et ce bruit dans les airs,
            Ces trompettes et ce tonnerre?
340 *Venait-il renverser l'ordre[4] des éléments?*
            Sur ses antiques fondements
            Venait-il ébranler la terre?

UNE AUTRE.

Il venait révéler aux enfants des Hébreux
De ses préceptes saints la lumière immortelle.
        Il venait à ce peuple heureux
Ordonner de l'aimer d'une amour[5] éternelle.

TOUT LE CHŒUR.

            O divine, ô charmante[6] loi!
        O justice! ô bonté suprême!
    Que de raisons, quelle douceur extrême
350 *D'engager[7] à ce Dieu son amour et sa foi!*

UNE VOIX, seule.

    D'un joug cruel[8] il sauva nos aïeux,
Les nourrit au désert d'un pain délicieux[9].
Il nous donne ses lois, il se donne lui-même[10].
        Pour[11] tant de biens, il commande qu'on l'aime.

---

1. De donner la vie. — 2. Préface, p. 31, l. 118-121. — 3. Voir *Exode*, XIX, XX : « Au troisième jour, dès le matin il y eut des tonnerres, des éclairs et une lourde nuée sur la montagne [...] Or le mont Sinaï était tout fumant, parce que sur lui était descendu Iahvé dans le feu, et sa fumée montait comme la fumée d'une fournaise. » — 4. L'arrangement méthodique. — 5. Le genre de ce mot n'était pas encore fixé au XVIIᵉ s. — 6. Qui a un charme magique. — 7. De consacrer solennellement. — 8. Allusion à la sortie d'Égypte : *Exode*, XII. — 9. La manne dont Dieu nourrit les Israélites dans le désert : *Exode*, XVI. — 10. Allusion à Jésus-Christ se donnant aux hommes dans l'Eucharistie. — 11. En échange de.

LE CHŒUR.

O justice! ô bonté suprême!

LA MÊME VOIX.

Des mers pour eux il entrouvrit les eaux[1],
D'un aride rocher fit sortir des ruisseaux[2].
Il nous donne ses lois, il se donne lui-même.
Pour tant de biens, il commande qu'on l'aime.

LE CHŒUR.

360 *O divine, ô charmante loi!*
Que de raisons, quelle douceur extrême
D'engager à ce Dieu son amour et sa foi!

UNE AUTRE VOIX, seule.

Vous qui ne connaissez qu'une crainte servile,
Ingrats, un Dieu si bon ne peut-il vous charmer[3]?
Est-il donc à vos cœurs, est-il si difficile
Et si pénible de l'aimer?
L'esclave craint le tyran qui l'outrage;
Mais des enfants l'amour est le partage.
Vous voulez que ce Dieu vous comble de bienfaits,
370 *Et ne l'aimer jamais[4]?*

TOUT LE CHŒUR.

O divine, ô charmante loi, etc.

---

1. Allusion au passage de la mer Rouge : *Exode*, XIV. — 2. Il s'agit du rocher d'Horeb: *Exode*, XVII, 5-6. — 3. Tenir sous le charme. — 4. Ces deux vers apparaissent pour la première fois en 1697, comme réponse aux adversaires de l'*Épître* de Boileau sur ce sujet (XII, vers 69 et suiv.).

- **Mise en scène** — Il n'y a pas d'entracte dans *Athalie;* les jeunes filles du chœur vont se retirer par groupes, (acte II, scène 2), et entendront les nouvelles que Zacharie apporte, le dernier groupe sortant avec Josabet à la fin de la scène (voir le v. 429).
  ① Ce chant du chœur est une ode lyrique à plusieurs voix habilement équilibrées. Recherchez les thèmes qui apparaissent dans les développement successifs : v. 311-322, 323-346, 347-362, 363-374.
  ② Étudiez la musicalité expressive de ce chant (variété et vivacité des rythmes, combinaison des rimes, harmonie des mots) et montrez comment Racine utilise une grande variété métrique.
  ③ Appréciez ce jugement de G. Le Roy sur le rôle du chœur : « Il maintient l'atmosphère d'éternité, évite toute rupture dans une action difficile et, pourtant, apporte une aise nécessaire au spectateur. »

ACTE II

Scène première. — JOSABET, SALOMITH,

Le chœur.

JOSABET. — Mes filles, c'est assez; suspendez vos cantiques.
Il est temps de nous joindre aux prières publiques.
Voici notre heure. Allons célébrer ce grand jour,
Et devant le Seigneur paraître à notre tour.

Scène II. — ZACHARIE, JOSABET, SALOMITH,

Le chœur.

JOSABET. — Mais que vois-je? Mon fils, quel sujet vous ramène?
380 Où courez-vous ainsi tout pâle et hors d'haleine?

ZACHARIE. — O ma mère!

JOSABET. —   Hé bien, quoi?

ZACHARIE. —   Le temple est profané[1].

JOSABET. — Comment?

ZACHARIE. —   Et du Seigneur l'autel abandonné[2].

JOSABET. — Je tremble. Hâtez-vous d'éclaircir[3] votre mère.

ZACHARIE. — Déjà, selon la loi, le grand prêtre mon père,
Après avoir au Dieu qui nourrit les humains
De la moisson nouvelle offert les premiers pains[4],
Lui présentait encore entre ses mains sanglantes
Des victimes de paix[5] les entrailles fumantes.
Debout à ses côtés le jeune Éliacin
390 Comme moi le servait en long habit de lin[6];
Et cependant[7], du sang de la chair immolée,
Les prêtres arrosaient[8] l'autel et l'assemblée.
Un bruit confus s'élève, et du peuple surpris
Détourne tout à coup les yeux et les esprits[9].
Une femme... Peut-on la nommer sans blasphème?
Une femme... C'était Athalie elle-même.

JOSABET. — Ciel!

---

1. Souillé. — 2. Le sacrifice interrompu, et c'était dans la religion juive le plus grand des sacrilèges. — 3. D'informer clairement. — 4. On offrait à Dieu, le jour de la Pentecôte, deux pains du nouveau blé. — 5. En reconnaissance d'un bienfait reçu de Dieu, on offrait deux agneaux; pour expier des fautes, on offrait un bouc. — 6. C'est la robe des lévites. — 7. Pendant ce temps. — 8. Voir l'*Exode*, XXIV, 6-8 : « Alors Moïse prit la moitié du sang et le mit dans des bassins, puis il aspergea l'autel avec l'autre moitié du sang. » — 9. L'attention.

ZACHARIE. —   Dans un des parvis aux hommes réservé
Cette femme superbe[1] entre, le front levé,
Et se préparait même à passer les limites
390 De l'enceinte sacrée ouverte aux seuls lévites[2].
Le peuple s'épouvante[3] et fuit de toutes parts.
Mon père... Ah! quel courroux animait ses regards!
Moïse à Pharaon[4] parut moins formidable :
« Reine, sors, a-t-il dit, de ce lieu redoutable,
D'où te bannit[5] ton sexe et ton impiété.
Viens-tu du Dieu vivant[6] braver la majesté? »
La Reine alors, sur lui jetant un œil farouche,
Pour blasphémer sans doute[7] ouvrait déjà la bouche.
J'ignore si de Dieu l'ange se dévoilant
410 Est venu lui montrer un glaive étincelant[8];
Mais sa langue en sa bouche à l'instant s'est glacée,
Et toute son audace a paru terrassée.
Ses yeux, comme effrayés, n'osaient se détourner;
Surtout Éliacin paraissait l'étonner[9].

JOSABET. — Quoi donc? Éliacin a paru devant elle?

ZACHARIE. — Nous regardions tous deux cette reine cruelle,
Et d'une égale horreur[10] nos cœurs étaient frappés.
Mais les prêtres bientôt nous ont enveloppés[11].
On nous a fait sortir. J'ignore tout le reste,
420 Et venais vous conter[12] ce désordre funeste.

JOSABET. — Ah! de nos bras sans doute[13] elle vient l'arracher;
Et c'est lui qu'à l'autel sa fureur[14] vient chercher.
Peut-être en ce moment l'objet de tant de larmes...
Souviens-toi de David[15], Dieu, qui vois mes alarmes.

SALOMITH. — Quel est-il cet objet des pleurs que vous versez?

ZACHARIE. — Les jours d'Éliacin seraient-ils menacés?

SALOMITH. — Aurait-il de la Reine attiré la colère?

ZACHARIE. — Que craint-on d'un enfant sans support[16] et sans père?

JOSABET. — Ah! la voici. Sortons. Il la faut éviter.

---

1. Orgueilleuse. — 2. Voir p. 28, l. 18-22. — 3. Est épouvanté. — 4. Terme générique désignant les rois d'Égypte. — 5. Accord du verbe avec le sujet le plus rapproché. — 6. Expression biblique. — 7. Sans (aucun) doute; certainement. — 8. « Alors Iahvé dessilla les yeux de Baladin, et il vit l'ange de Iahvé se tenant debout sur le chemin, avec son épée dégainée dans la main » (*Nombres*, XXII, 31). — 9. La frapper de stupeur. — 10. Saisissement. — 11. Entourés. — 12. Raconter. — 13. Voir la n. 7. — 14. Les mots *fureur, horreur, terreur* sont souvent appliqués à Athalie et à Mathan. — 15. Voir *Psaumes*, CXXXI, 15. — 16. Sans appui.

SCÈNE III. — ATHALIE, AGAR, ABNER,

SUITE D'ATHALIE.

AGAR. -430 Madame, dans ces lieux pourquoi vous arrêter?
Ici tous les objets[1] vous blessent, vous irritent[2].
Abandonnez ce temple aux prêtres qui l'habitent;
Fuyez tout ce tumulte, et dans votre palais
A vos sens agités venez rendre la paix.

ATHALIE. — Non, je ne puis : tu vois mon trouble[3] et ma faiblesse.
Va, fais dire à Mathan qu'il vienne, qu'il se presse,
Heureuse si je puis trouver par son secours
Cette paix que je cherche et qui me fuit toujours[4].

(Elle s'assied.)

SCÈNE IV. — ATHALIE, ABNER, ETC.

ABNER. — Madame, pardonnez si j'ose le[5] défendre.
440 Le zèle de Joad n'a point dû vous surprendre.
Du Dieu que nous servons tel est l'ordre éternel.
Lui-même il nous traça son temple et son autel[6],
Aux seuls enfants d'Aaron[7] commit[8] ses sacrifices,
Aux lévites marqua leur place et leurs offices[9],
Et surtout défendit à leur postérité
Avec tout autre dieu toute société[10].
Hé quoi? vous de nos rois et la femme et la mère[11],
Êtes-vous à ce point parmi nous étrangère?
Ignorez-vous nos lois? Et faut-il qu'aujourd'hui...
450 Voici votre[12] Mathan, je vous laisse avec lui.

ATHALIE. — Votre présence, Abner, est ici nécessaire.
Laissons là de Joad l'audace téméraire,
Et tout ce vain amas de superstitions
Qui ferment votre temple aux autres nations.
Un sujet plus pressant excite mes alarmes.
Je sais que dès l'enfance élevé dans les armes,
Abner a le cœur noble, et qu'il rend à la fois
Ce qu'il doit à son Dieu, ce qu'il doit à ses rois.
Demeurez.

---

1. Tout ce que vous avez sous les yeux. — 2. Vous surexcitent. — 3. Comparer le trouble d'Athalie à celui de Mathan aux v. 1041-1044. — 4. Ce vers peut être rapproché du v. 962; Racine rappelle ainsi que, seul, l'amour de Dieu peut apporter la paix aux âmes tourmentées. — 5. Joad. — 6. Voir *Exode*, XXVI et XXVII. — 7. Préface, p. 28, l. 16-18. — 8. Confia la charge de. — 9. Leurs fonctions. — 10. Toutes relations. — 11. Voir *les Personnages*, p. 34. — 12. Sens péjoratif : Abner méprise Mathan.

SCÈNE V. — MATHAN, ATHALIE, ABNER, ETC.

MATHAN. —   Grande Reine, est-ce ici votre place?
460 Quel trouble vous agite, et quel effroi vous glace?
      Parmi vos ennemis que venez-vous chercher?
      De ce temple profane¹ osez-vous approcher?
      Avez-vous dépouillé² cette haine si vive...
ATHALIE. — Prêtez-moi l'un et l'autre une oreille attentive.
      Je ne veux point ici rappeler le passé,
      Ni vous rendre raison³ du sang que j'ai versé.

---

1. Sacrilège. — 2. Renoncé à. — 3. Rendre compte.

■■

- **Le récit de Zacharie** (v. 397 à 420) — Délimitez les différentes parties :
  — l'entrée d'Athalie dans le temple;
  — le peuple en déroute;
  — le signe annonciateur du dénouement : Athalie paralysée par Joad;
  — le regard de la reine braqué sur Éliacin.
  ① En soulignant que Zacharie a réservé pour la fin le trait qui va le plus émouvoir Josabet, montrez que ce récit est tout un drame.

- **Les personnages** — Les paroles de JOAD, rapportées fidèlement par Zacharie, nous découvrent le grand prêtre plein d'assurance et d'arrogance face à la Reine.
  ATHALIE : La Reine, que le spectateur voit pour la première fois, n'est pas la reine *superbe* (v. 398) qui, selon Zacharie, est entrée *le front levé* dans le temple. Au contraire, elle est égarée comme si elle ne s'était pas remise de sa paralysie de tout à l'heure; elle ne fait plus la brave, elle avoue son trouble et sa faiblesse.
  ② Racine indique, au vers 438, que la Reine s'assied; imaginez son visage et sa physionomie à cet instant.
  ③ Voltaire avait déjà pris le parti d'Athalie contre Joas, et François Mauriac, citant le vers 438 (*cette paix que je cherche et qui me fuit toujours*), écrit que, dès sa première parole, Racine nous incite à la plaindre. Est-ce votre avis?

- **L'action et les caractères** — Dans sa dernière tirade (v. 451-459), Athalie ordonne à Abner de *demeurer*. Nous connaissons les sentiments d'Abner pour Mathan (v. 35-36 et 450) et nous comprenons qu'il ne veuille pas le rencontrer. Il ne peut donc se trouver en scène avec lui que sur l'ordre formel de la Reine. Racine va ainsi opposer dramatiquement, en les mettant aux prises, ces deux personnages qu'il a conçus comme une antithèse vivante : Mathan, le Lévite apostat, âme damnée d'Athalie; et Abner, le soldat fidèle à son Dieu et loyal envers sa souveraine.
  ④ Pourquoi est-il important que nous connaissions déjà l'opinion favorable qu'Athalie a d'Abner?
  ⑤ Appréciez la beauté du vers 438.

■■

Ce que j'ai fait, Abner, j'ai cru le devoir faire[1].
Je ne prends point pour juge un peuple téméraire[2].
Quoi que son insolence ait osé publier[3],
470 Le Ciel même a pris soin de me justifier.
Sur d'éclatants succès[4] ma puissance établie
A fait jusqu'aux deux mers[5] respecter Athalie.
Par moi[6] Jérusalem goûte un calme profond.
Le Jourdain ne voit plus l'Arabe vagabond.
Ni l'altier Philistin, par d'éternels ravages,
Comme au temps de vos rois, désoler ses rivages;
Le Syrien me traite et de reine et de sœur.
Enfin de ma maison le perfide oppresseur,
Qui devait jusqu'à moi pousser sa barbarie,
480 Jéhu, le fier[7] Jéhu, tremble dans Samarie[8].
De toutes parts pressé[9] par un puissant voisin[10],
Que j'ai su soulever contre cet assassin,
Il me laisse en ces lieux souveraine maîtresse.
Je jouissais en paix du fruit de ma sagesse;
Mais un trouble importun vient, depuis quelques jours,
De mes prospérités interrompre le cours.
Un songe (me devrais-je inquiéter d'un songe?)
Entretient dans mon cœur un chagrin[11] qui le ronge.
Je l'évite partout, partout il me poursuit.
490 C'était pendant l'horreur d'une profonde nuit.
Ma mère Jézabel devant moi s'est montrée,
Comme au jour de sa mort pompeusement parée.
Ses malheurs n'avaient point abattu sa fierté[12];
Même elle avait encor cet éclat emprunté
Dont elle eut soin de peindre et d'orner son visage[13],
Pour réparer des ans l'irréparable outrage.
« Tremble, m'a-t-elle-dit, fille digne de moi.
Le cruel dieu des Juifs l'emporte aussi sur toi.
Je te plains de tomber dans ses mains redoutables,
500 Ma fille. » En achevant ces mots épouvantables,

---

1. Le ton grandiose de ce passage doit être rapproché du v. 592. — 2. Irréfléchi; Athalie contredit Joad qui avait souligné l'inconstance du peuple hébreu. — 3. Proclamer. — 4. L'Écriture ne fait pas mention de ces succès. — 5. La Méditerranée et la mer Rouge. — 6. Il y a beaucoup d'orgueil dans ce vers où Athalie semble défier Jéhu; en réalité, c'est le spectre de Jézabel qui continue de la hanter. — 7. Cruel (*fier* a pour doublet *féroce*). — 8. Ville de Palestine, capitale du royaume d'Israël. — 9. Serré de près. — 10. Hazaël, roi de Syrie. — 11. Une vive inquiétude. — 12. Son humeur farouche. — 13. « Jéhu rentra à Jizréel, et Jézabel, l'ayant appris, s'enduisit les yeux de fard et embellit sa tête, puis elle se pencha par la fenêtre » (*Rois*, IX, 30).

Son ombre vers mon lit a paru se baisser ;
Et moi, je lui tendais les mains pour l'embrasser.
Mais je n'ai plus trouvé qu'un horrible mélange
D'os et de chair meurtris, et traînés dans la fange,
Des lambeaux pleins de sang, et des membres affreux[1]
Que des chiens dévorants se disputaient entre eux[2].

ABNER. — Grand Dieu !

---

1. Effroyables. — 2. Voir les v. 116-118.

- **Le récit d'Athalie** (v. 464-489) **et l'action** — Le songe est précédé d'un long récit où Athalie trace un tableau vif et rapide de sa puissance et des effets de sa politique. Elle a lieu de s'enorgueillir de sa sagesse, ses crimes lui ont réussi ; le passé est aboli ; les promesses et les menaces de Dieu sont vaines. Le règne de l'homicide, de l'impie est même plus florissant que celui des rois légitimes et fidèles (v. 476). C'est au milieu de ce *calme profond* (v. 473), de cette *paix* (v. 484) qu'éclatent, comme la foudre, les menaces divines.

- **Athalie et l'actualité** — A propos du vers 484, François Mauriac écrit : « S'il [Racine] ne souhaite point de justifier la reine, du moins la considère-t-il sans furie avec d'autres yeux que ceux du grand prêtre : avec ces yeux de gentilhomme ordinaire du roi. *Je jouissais en paix du fruit de ma sagesse*, lui fait-il dire après qu'elle s'est vantée d'avoir réduit tous ses voisins par une politique assez semblable à celle de Louis XIV. »
  ① Partagez-vous l'avis de F. Mauriac ?

- **Racine et la Bible** — A propos des vers 474 à 477, Pierre Moreau écrit : « La poésie de Racine donne des fonds illimités au drame. La Bible est là, depuis la *Genèse* jusqu'aux *Juges* et aux *Rois*, toujours vivante dans la captivité d'Esther comme auprès du tabernacle d'Athalie. Des lointains s'ouvrent aussi sur l'espace ; la vaste perspective des terres où s'étend la puissance d'Athalie (*Le Jourdain ne voit plus* [...] *et de reine et de sœur* ») [v. 474-477].

- **Le songe** — Un seul vers (490) suffit pour donner le ton du récit (profondes ténèbres, nuit d'horreur).
  — L'apparition de Jézabel (v. 491-496) : évocation saisissante d'une mère, mais surtout d'une reine dans son aspect le plus caractéristique et dans une circonstance tragique.
  ② Lanson a dit, à propos des vers 494-496, que Racine usait là d'une bien élégante périphrase ; ne pouvez-vous lui objecter que Racine en tire un grand effet musical ?
  ③ Relevez le contraste formé par les deux hémistiches du vers 492.
  ④ Dites pourquoi le vers 496 est si souvent cité.
  — Les paroles prophétiques (v. 497-500) annoncent les pires malheurs ; soulignent l'espèce de fatalité qui pèse sur la mère et sur la fille ; désignent nettement la main qui dirige les événements : Dieu. Elles débutent par un verbe vibrant et terrible : *Tremble*.
  — Le cauchemar (v. 500-506). Il y a ici un luxe de détails et d'images d'un réalisme brutal contre lequel s'indignèrent les puristes de l'époque.

55

ATHALIE. —   Dans ce désordre[1] à mes yeux se présente
Un jeune enfant couvert d'une robe éclatante,
Tels qu'on[2] voit des Hébreux les prêtres revêtus.
510   Sa vue a ranimé mes esprits[3] abattus.
Mais lorsque revenant de mon trouble funeste[4],
J'admirais sa douceur, son air noble et modeste,
J'ai senti tout à coup un homicide acier[5],
Que le traître en mon sein a plongé tout entier.
De tant d'objets divers le bizarre[6] assemblage
Peut-être du hasard vous paraît un ouvrage.
Moi-même quelque temps honteuse de ma peur,
Je l'ai pris pour l'effet d'une sombre vapeur[7].
Mais de ce souvenir[8] mon âme possédée
520   A deux fois en dormant revu la même idée[9] :
Deux fois mes tristes yeux se sont vu retracer
Ce même enfant toujours tout prêt à me percer.
Lasse enfin des horreurs dont[10] j'étais poursuivie,
J'allais prier Baal de veiller sur ma vie,
Et chercher du repos au pied de ses autels.
Que ne peut la frayeur sur l'esprit des mortels ?
Dans le temple des Juifs un instinct[11] m'a poussée,
Et d'apaiser leur Dieu j'ai conçu la pensée :
J'ai cru que des présents calmeraient son courroux,
530   Que ce Dieu, quel qu'il soit, en deviendrait plus doux[12].
Pontife de Baal[13], excusez ma faiblesse.
J'entre. Le peuple fuit. Le sacrifice cesse.
Le grand prêtre vers moi s'avance avec fureur.
Pendant qu'il me parlait, ô surprise ! ô terreur !
J'ai vu ce même enfant dont je suis menacée,
Tel qu'un songe effrayant l'a peint à ma pensée.
Je l'ai vu : son même air, son même habit de lin,
Sa démarche, ses yeux, et tous ses traits enfin.
C'est lui-même. Il marchait à côté du grand prêtre;
540   Mais bientôt à ma vue on l'a fait disparaître.
Voilà quel trouble ici m'oblige à m'arrêter,
Et sur quoi j'ai voulu tous deux vous consulter.
     Que présage, Mathan, ce prodige incroyable ?

---

1. Ce trouble. — 2. On attendrait : tels on voit. — 3. Mon énergie. — 4. Sinistre, causé par des visions de mort. — 5. Métonymie : poignard. — 6. Extravagant. — 7. D'une hallucination. — 8. Par ce souvenir. — 9. Image. — 10. Par lesquelles. — 11. Un mouvement instinctif. — 12. Les v. 524-531 montrent combien la religion d'Athalie était incertaine. — 13. Athalie s'adresse maintenant à Mathan.

MATHAN. — Ce songe et ce rapport[1], tout me semble effroyable.

ATHALIE. — Mais cet enfant fatal[2], Abner, vous l'avez-vu :
Quel est-il ? De quel sang ? Et de quelle tribu ?

ABNER. — Deux enfants à l'autel prêtaient leur ministère.
L'un est fils de Joad, Josabet est sa mère.
L'autre m'est inconnu.

MATHAN. —   Pourquoi délibérer ?
550 De tous les deux, Madame, il se faut assurer[3].
Vous savez pour Joad mes égards, mes mesures[4] ;
Que[5] je ne cherche point à venger mes injures[6],
Que la seule équité[7] règne en tous mes avis[8] ;
Mais lui-même après tout, fût-ce son propre fils,
Voudrait-il un moment laisser vivre un coupable ?

---

1. Cette concordance. — 2. Marqué par le destin. — 3. Il faut se saisir. — 4. Ménagements. — 5. Au xviie s., un verbe pouvait avoir deux compléments d'espèce différente : ici, un nom et une proposition. — 6. Les injures qui m'ont été faites. — 7. Que, seule, l'équité. — 8. Mathan apparaît ici comme Abner l'a dépeint au v. 45 : plein de fausse douceur.

▪▪

● **Le songe** — La seconde partie du songe comporte, comme la première, une apparition : celle d'un jeune inconnu ; elle comporte en outre une réalisation partielle du songe : Athalie reconnaissant dans le temple le jeune inconnu qui la tuera.
Aux images terribles succèdent des images paisibles et douces ; un « tableau de lumière » (*robe éclatante :* v. 508), dit G. Le Roy, se superpose à l'angoisse. Les vers 522-543 montrent la réalisation partielle du songe.
① Étudiez l'état d'âme d'Athalie. Est-ce *un instinct* (v. 527) qui l'a *poussée* dans le temple des Juifs ?
— L'atmosphère du songe. Sur ce récit plane une sorte de fatalité. La puissance invisible et formidable qui dirige les événements se révèle par la bouche de Jézabel, unit dans le même destin la mère et la fille, et place dans le même temps, sous les yeux d'Athalie, celui qu'elle a vu dans un songe et qui doit causer sa perte. De là, cet air de grandeur et cette atmosphère mystérieuse et terrible qui constituent l'essence même de la tragédie.
— Le rôle du songe dans l'action. C'est un des ressorts principaux de l'action. En effet, il motive la venue d'Athalie dans le temple où elle veut apaiser le *cruel dieu des Juifs* (v. 498). Mais elle y revoit l'enfant du songe, d'où un redoublement de terreur. Et cette coïncidence troublante lui inspire le désir de voir de plus près cet enfant, de l'examiner, de l'interroger. Ainsi le songe provoque une des scènes les plus pathétiques de la pièce : l'entrevue de la vieille reine et du jeune Éliacin.

▪▪

ABNER. — De quel crime un enfant peut-il être capable?

MATHAN. — Le Ciel nous le fait voir un poignard à la main :
Le Ciel est juste et sage, et ne fait rien en vain.
Que cherchez-vous de plus?

ABNER. — Mais, sur la foi[1] d'un songe,
560 Dans le sang d'un enfant voulez-vous qu'on se plonge?
Vous ne savez encor de quel père il est né,
Quel[2] il est.

MATHAN. — On le craint, tout est examiné.
A d'illustres parents s'il doit son origine,
La splendeur de son sort doit hâter sa ruine[3].
Dans le vulgaire obscur si le sort l'a placé,
Qu'importe qu'au hasard un sang vil[4] soit versé?
Est-ce aux rois à garder[5] cette lente justice?
Leur sûreté souvent dépend d'un prompt supplice.
N'allons point les gêner[6] d'un soin[7] embarrassant.
570 Dès qu'on leur est suspect, on n'est plus innocent[8].

ABNER. — Hé quoi, Mathan? D'un prêtre est-ce là le langage?
Moi, nourri dans la guerre aux horreurs[9] du carnage,
Des vengeances des rois ministre[10] rigoureux,
C'est moi qui prête ici ma voix au malheureux;
Et vous, qui lui devez des entrailles de père,
Vous, ministre de paix dans les temps de colère,
Couvrant[11] d'un zèle faux votre ressentiment,
Le sang à votre gré coule trop lentement?
Vous m'avez commandé de vous parler sans feinte.
580 Madame : quel est donc ce grand sujet de crainte?
Un songe, un faible enfant que votre œil prévenu[12]
Peut-être sans raison croit avoir reconnu.

ATHALIE. — Je le veux croire, Abner; je puis m'être trompée.
Peut-être un songe vain[13] m'a trop préoccupée.
Hé bien! il faut revoir cet enfant de plus près;
Il en[14] faut à loisir examiner les traits.
Qu'on les fasse tous deux paraître en ma présence.

ABNER. — Je crains...

---

1. En se fiant à. — 2. Qui. — 3. Sa perte. — 4. De peu de valeur. — 5. Observer. — 6. Les tourmenter. — 7. Souci. — 8. Un des mots-clés; la racine revient sept fois à la rime ou à l'hémistiche : voir les v. 227, 629, 775, 790, 1203, 1439, 1602. — 9. Au milieu des horreurs. — 10. Exécuteur. — 11. Dissimulant sous... — 12. Qui est mal disposé d'avance. — 13. Qui ne repose sur rien. — 14. *En* rappelle *enfant.*

ATHALIE. —   Manquerait-on pour moi de complaisance[1]?
De ce refus bizarre où seraient les raisons?
590 Il pourrait me jeter en d'étranges soupçons.
Que Josabet, vous dis-je, ou Joad les amène.
Je puis, quand je voudrai, parler en souveraine[2].
Vos prêtres, je veux bien, Abner, vous l'avouer,
Des bontés d'Athalie ont lieu de se louer[3].
Je sais sur ma conduite et contre ma puissance
Jusqu'où de leurs discours[4] ils portent la licence.
Ils vivent cependant, et leur temple est debout.
Mais je sens que bientôt ma douceur est à bout.
Que Joad mette un frein à son zèle sauvage[5],
600 Et ne m'irrite point par un second outrage.
Allez.

---

1. D'empressement à me plaire. — 2. Souligner le ton grandiose de ce vers et le rapprocher des v. 467 et suiv. — 3. Athalie fera souvent étalage de sa tolérance : vers 681 à 685 et 975. — 4. Leurs paroles. — 5. Farouche.

●●

● **Les caractères et l'action** — ABNER a été secoué par le récit d'Athalie : le petit lévite qui, dans le cauchemar, poignardait Athalie, elle vient de le voir servant Joad à l'autel.
① Quels sont les mots et les constructions syntaxiques qui traduisent l'indignation d'Abner (v. 571-582)? Tout ce qu'il dit à Mathan plaît-il à Athalie?
② Après avoir hésité, balbutié, souligné le prix du sang, Abner exécute la mission, déplaisante entre toutes pour un homme de paix, d'aller quérir les enfants. Pourquoi hésite-t-il? Quelles sont ses craintes (v. 588)? MATHAN, contrairement à Abner, n'est pas l'homme du sentiment (v. 567). Retenez son cri du cœur : *Enfin je puis parler en liberté* (v. 601). Il a savouré la leçon qu'Abner vient de recevoir. Joignant au zèle de l'apostat le flair d'un policier, il a éventé le complot qui se trame dans le temple, suggérant même l'imminence du danger et la participation d'Abner à cette conspiration. Le moment lui semble opportun d'une offensive contre Joad, et il s'efforce de pousser Athalie à l'action en attisant son inquiétude.
ATHALIE présente des traits divers : l'incertitude (v. 583-584); l'idée fixe (*il faut revoir cet enfant de plus près... il faut... :* v. 585-586); la hauteur, l'arrogance, l'assurance, la tolérance (v. 553 à 596); la menace (v. 598). Le ressentiment gagne et vient par degrés à la haine. Cependant, elle ne se laisse pas entraîner par Mathan, elle temporise; pourquoi?
③ Croyez-vous qu'Athalie voie clair, comme elle le dit au vers 610?
④ François Mauriac écrit : « Racine a conçu avec beaucoup de netteté ce que Nietzsche devait appeler un jour la morale des maîtres. Il vivait dans un temps où c'était, si l'on peut dire, la morale courante. Athalie mais aussi Agrippine, Burrhus, Narcisse, Bérénice, Titus, Acomat, Mithridate, Aman, Mathan, représentent cette humanité créatrice d'une morale de la puissance... » Dites quels sont les principes de cette morale. d'après les vers 549 à 570.

●●

SCÈNE VI. — ATHALIE, MATHAN, ETC.

MATHAN. —   Enfin je puis parler en liberté :
Je puis dans tout son jour mettre la vérité.
Quelque monstre[1] naissant dans ce temple s'élève[2],
Reine. N'attendez pas que le nuage crève.
Abner chez le grand prêtre a devancé le jour.
Pour le sang de ses rois vous savez son amour.
Et qui sait si Joad ne veut point en leur place[3]
Substituer l'enfant[4] dont le Ciel vous menace,
Soit son fils, soit quelque autre...

ATHALIE. —   Oui, vous m'ouvrez les yeux,
610 Je commence à voir clair dans cet avis des Cieux.
Mais je veux de mon doute être débarrassée.
Un enfant est peu propre à trahir sa pensée.
Souvent d'un grand dessein un mot nous fait juger.
Laissez-moi, cher Mathan, le voir, l'interroger.
Vous cependant, allez; et sans jeter d'alarmes[5],
A tous mes Tyriens[6] faites prendre les armes.

SCÈNE VII. — JOAS, JOSABET, ATHALIE,
ZACHARIE, ABNER, SALOMITH,
DEUX LÉVITES, LE CHŒUR, ETC.

JOSABET, *aux deux lévites.*

— O vous, sur ces enfants si chers, si précieux,
Ministres du Seigneur, ayez toujours les yeux.

ABNER, *à Josabet.*

— Princesse, assurez-vous[7], je les prends sous ma garde.

ATHALIE. -620 O Ciel ! plus j'examine, et plus je le regarde,
C'est lui. D'horreur encor tous mes sens sont saisis.
Épouse de Joad, est-ce là[8] votre fils ?

---

1. Phénomène singulier. — 2. Est élevé. — 3. A leur place. — 4. « Mathan parlait à propos de Joas de *substitution d'enfant*, mais c'était Burnet qui avait, le premier, lancé contre le prince de Galles l'infamante accusation » (J. Orcibal). — 5. D'épouvante. — 6. « Si le poète [Racine] lui attribue une garde de Tyriens dont il n'est nulle part question dans la Bible, n'est-ce-pas que Guillaume, n'osant faire fonds sur l'armée anglaise, continuait, au mépris des protestations du Parlement, à s'entourer des troupes qu'il avait amenées de Hollande? » (J. Orcibal). — 7. Rassurez-vous. — 8. Elle montre Joas.

JOSABET. — Qui? Lui[1], Madame?

ATHALIE. — Lui[2].

JOSABET. — Je ne suis point sa mère.
Voilà mon fils.

ATHALIE. — Et vous, quel est donc votre père?
Jeune enfant, répondez[3].

JOSABET. — Le Ciel jusqu'aujourd'hui...

ATHALIE. — Pourquoi vous pressez-vous de répondre pour lui?
C'est à lui de parler. •

JOSABET. — Dans un âge si tendre
Quel éclaircissement[4] en[5] pouvez-vous attendre?

ATHALIE. — Cet âge est innocent. Son ingénuité[6]
630 N'altère point encor la simple vérité.
Laissez-le s'expliquer sur tout ce qui le touche.

JOSABET, *tout bas.*
— Daigne mettre, grand Dieu, ta sagesse en sa bouche.

ATHALIE. — Comment vous nommez-vous?

JOAS. — J'ai nom Éliacin.

ATHALIE. — Votre père?

JOAS. — Je suis, dit-on, un orphelin[7]
Entre les bras de Dieu jeté dès ma naissance,
Et qui de mes parents n'eus jamais connaissance.

ATHALIE. — Vous êtes sans parents?

JOAS. — Ils m'ont abandonné.

ATHALIE. — Comment? Et depuis quand?

JOAS. — Depuis que je suis né.

ATHALIE. — Ne sait-on pas au moins quel pays est le vôtre?

JOAS. 640 Ce temple est mon pays, je n'en connais point d'autre.

ATHALIE. — Où dit-on que le sort vous a fait rencontrer?

JOAS. — Parmi des loups cruels prêts à me dévorer.

ATHALIE. — Qui vous mit dans ce temple?

JOAS. — Une femme inconnue,
Qui ne dit point son nom, et qu'on n'a point revue.

---

1. Elle montre Zacharie. — 2. Elle montre Joas. — 3. Elle montre Joas. Voir Euripide, *Ion*, v. 308 et suiv. — 4. Renseignement. — 5. De lui. — 6. Sa naïveté. — 7. Les souvenirs chers aux port-royalistes prennent, dans *Athalie*, un accent plus personnel que dans *Esther*. « C'est que le rôle de Joas permettait au poète d'évoquer les impressions ineffables, que ses premières années avaient reçues *en un secret vallon*, — *Sur le bord d'une onde pure* » (v. 778-779). « Orphelin, *Entre les bras de Dieu jeté dès* sa *naissance, Et qui de* ses *parents* n'*eut jamais connaissance* [v. 635-636], il pouvait dire lui aussi : *Ce temple est mon pays* » (J. Orcibal).

ATHALIE. — Mais de vos premiers[1] ans quelles mains ont pris soin?

JOAS. — Dieu laissa-t-il jamais ses enfants au besoin[2]?
Aux petits des oiseaux[3] il donne leur pâture,
Et sa bonté s'étend sur toute la nature.
Tous les jours je l'invoque, et d'un soin[4] paternel
650 Il me nourrit des dons offerts sur son autel.

ATHALIE. — Quel prodige nouveau me trouble et m'embarrasse?
La douceur de sa voix, son enfance, sa grâce,
Font insensiblement à mon inimitié
Succéder... Je serais[5] sensible à la pitié?

ABNER. — Madame, voilà donc cet ennemi terrible.
De vos songes menteurs l'imposture est visible,
A moins que la pitié qui semble vous troubler
Ne soit ce coup fatal qui vous faisait trembler.

ATHALIE, *à Joas et à Josabet.*
— Vous sortez?

JOSABET. — Vous avez entendu sa fortune[6].
660 Sa présence à la fin pourrait être importune.

ATHALIE. — Non. Revenez. Quel est tous les jours votre emploi?

JOAS. — J'adore le Seigneur. On m'explique sa loi.
Dans son livre divin on m'apprend à la lire,
Et déjà de ma main je commence à l'écrire[7].

ATHALIE. — Que vous dit cette loi?

JOAS. — Que Dieu veut être aimé[8],
Qu'il venge[9] tôt ou tard son saint nom blasphémé,
Qu'il est le défenseur de l'orphelin[10] timide[11],
Qu'il résiste au superbe[12] et punit l'homicide.

ATHALIE. — J'entends[13]. Mais tout ce peuple[14] enfermé dans ce lieu,
670 A quoi s'occupe-t-il?

JOAS. — Il loue, il bénit Dieu.

---

1. Voir Euripide, *Ion*, v. 318 et 321 à 323. — 2. Dans le besoin. — 3. Voir *Psaumes*, CXLVI, 9. — 4. Avec une sollicitude. — 5. Le conditionnel exprime une éventualité contre laquelle Athalie proteste. — 6. Le récit de ce qui lui est arrivé. — 7. Préface p. 30, l. 85-89. — 8. Voir le *Deutéronome*, VI, 5. — 9. Punit. — 10. Un autre mot-clé : voir les v. 227 et 1408. — 11. « Le Dieu qui fait droit à l'orphelin et à la veuve » (*Deutéronome*, X, 18). Pour les v. 665 à 667, voir aussi les v. 127, 128, 1814-1816 et, pour le v. 667 seul, le v. 996 d'*Esther*. — 12. A l'orgueilleux. — 13. Je comprends. — 14. Foule de prêtres et de lévites.

ATHALIE.	—	Dieu veut-il qu'à toute heure on prie, on le contemple?
JOAS.	—	Tout profane exercice[1] est banni de son temple.
ATHALIE.	—	Quels sont donc vos plaisirs?
JOAS.	—	Quelquefois à l'autel

Je présente au grand prêtre ou l'encens ou le sel[2].
J'entends chanter de Dieu les grandeurs infinies.
Je vois l'ordre pompeux[3] de ses cérémonies[4].

---

1. Toute occupation profane. — 2. L'encens et le sel étaient prescrits en offrandes régulières du culte lévitique. — 3. Solennel. — 4. Une grande place est faite, dans cet emploi du temps, au culte antérieur que Mathan qualifie de *joug étroit* au v. 926; Joas a bien raison de dire : *Ce temple est mon pays* (v. 640).

■■

- **L'interrogatoire de Joas par Athalie** — Cette scène est une suite naturelle du songe. Contrairement à ce que craignait Abner, ce n'est pas Joad mais Josabet qui accompagne les deux enfants. L'interrogatoire se fait en deux temps.

- **Le pathétique de la situation** — Ce tête-à-tête de l'aïeule implacable et de l'enfant inconnu a quelque chose de terrifiant à cause :
  — Des sentiments d'Athalie. Nous savons de quoi elle est capable (v. 241). Or, en examinant « les traits » de l'enfant, elle peut soupçonner sa naissance; par des questions captieuses, elle peut lui arracher un mot qui trahisse « le grand dessein de Joad ».
  — De l'innocence de Joas. La partie n'est pas égale; en face de la vieille reine il ne dispose que d'une arme : son innocence et sa naïveté.
  — De la terreur de Josabet. Sa douleur est faite de tendresse maternelle, de sentiment religieux et national, de faiblesse humaine. De tels sentiments expliquent que Josabet veuille retarder et même détourner l'interrogatoire (v. 623 et 625).

- **L'art du dialogue** — Les questions d'ATHALIE. Pour ne pas effaroucher l'enfant, elle se force à une douceur qui n'est pas dans son caractère. Mais son naturel reprend le dessus dans le tour bref et impérieux de ses questions. Elle pose ses questions d'une manière telle qu'elle pense que l'enfant ne pourra pas les éluder. Et pourtant, à chaque réponse elle est déçue et elle a de la peine à cacher son dépit et son impatience (v. 639 et 645).
  — Les réponses de JOAS sont sincères, naïves, véridiques, et elles ne trahissent rien. Elles peuvent paraître au-dessus de l'âge de l'enfant : Racine a prévu cette objection et y a répondu dans la préface d'*Athalie* (p. 30, l. 76-95); de plus, il a fait dire à Josabet, au début de la scène : *Daigne mettre, grand Dieu, ta sagesse en sa bouche* (v. 632).
  — Résultat de ce premier interrogatoire : Athalie est troublée attendrie par les réponses de Joas; elle éprouve un sentiment inconnu dont elle a honte (v. 654). Josabet veut en profiter pour soustraire Joas à ses questions, elle l'emmène. Mais Athalie les rappelle; nous sommes replongés dans l'angoisse.

  ① Le premier, Racine a osé mettre un personnage d'enfant sur la scène, au centre d'une action tragique. Connaissez-vous d'autres écrivains du XVIIe siècle qui aient parlé de l'enfance?

■■

ATHALIE. — Hé quoi? vous n'avez point de passe-temps plus doux?
Je plains[1] le triste sort d'un enfant tel que vous.
Venez dans mon palais, vous y verrez ma gloire[2].

JOAS. — 680 Moi, des bienfaits de Dieu je perdrais la mémoire?

ATHALIE. — Non, je ne vous veux pas contraindre à l'oublier.

JOAS. — Vous ne le priez point.

ATHALIE. —   Vous pourrez le prier.

JOAS. — Je verrais cependant en invoquer un autre?

ATHALIE. — J'ai mon Dieu que je sers; vous servirez le vôtre[3].
Ce sont deux puissants dieux.

JOAS. —   Il faut craindre[4] le mien
Lui seul est Dieu, Madame, et le vôtre n'est rien.

ATHALIE. — Les plaisirs près de moi vous chercheront en foule.

JOAS. — Le bonheur des méchants[5] comme un torrent s'écoule[6].

ATHALIE. — Ces méchants, qui sont-ils?

JOSABET. —   Hé, Madame! excusez
690 Un enfant...

ATHALIE, *à Josabet.*
—   J'aime à voir comme[7] vous l'instruisez.
Enfin[8], Éliacin, vous avez su me plaire;
Vous n'êtes point sans doute un enfant ordinaire.
Vous voyez, je suis reine, et n'ai point d'héritier.
Laissez là cet habit, quittez ce vil métier.
Je veux vous faire part de toutes mes richesses;
Essayez[9] dès ce jour l'effet[10] de mes promesses.
A ma table, partout, à mes côtés assis,
Je prétends[11] vous traiter comme mon propre fils.

JOAS. — Comme votre fils?

ATHALIE. —   Oui. Vous vous taisez?

JOAS. —   Quel père[12]
700 Je quitterais! Et pour...

ATHALIE. —   Hé bien?

JOAS. —   Pour quelle mère!

---

1. Voir le v. 654. — 2. L'éclat de ma puissance. — 3. Dans les v. 681-685, Athalie fai
étalage de sa tolérance : voir les v. 593, 594, 597. — 4. Voir le v. 64. — 5. Des impies. —
6. Voir *Sagesse,* XVI, 29. — 7. Comment. — 8. En somme. — 9. Faites l'épreuve de
— 10. La réalisation. — 11. J'ai la volonté bien arrêtée de. — 12. Dieu, et non Joad.

ATHALIE, *à Josabet.*

> — Sa mémoire est fidèle, et dans tout ce qu'il dit
> De vous et de Joad je reconnais l'esprit.
> Voilà comme[1] infectant[2] cette simple[3] jeunesse[4],
> Vous employez tous deux le calme où je vous laisse.
> Vous cultivez déjà leur[5] haine et leur fureur;
> Vous ne leur prononcez mon nom qu'avec horreur[6].

JOSABET. — Peut-on de nos malheurs leur dérober l'histoire?
> Tout l'univers les sait; vous-même en faites gloire.

---

1. Comment. — 2. Corrompant. — 3. Naïve. — 4. « Ce vers peut faire allusion à la suppression des Petites Écoles et au renvoi des pensionnaires qu'élevaient les religieuses » (J. Orcibal). — 5. *Leur* désigne Joas et les Lévites. — 6. « Le plus terrible est que ces *lâches flatteurs* sont arrivés à persuader au Roi que Port-Royal *ne prononçait son nom qu'avec horreur* » (J. Orcibal).

■■■

- **La deuxième partie de l'interrogatoire : son caractère** — Cette seconde partie de la scène est en progression sur la première, et l'inquiétude du spectateur va croissant jusqu'à la fin. Athalie pose à l'enfant des questions plus embarrassantes, allant jusqu'à lui offrir de l'accueillir dans son palais. D'autre part, les réponses d'Éliacin sont, pour Athalie, autant de reproches sanglants. La fureur d'Athalie croît d'un bout à l'autre de l'entretien, tandis qu'Éliacin, qui n'a pas conscience du péril, reste calme.

- **La curiosité politique d'Athalie** — Son interrogatoire va porter sur un autre objet. Elle veut savoir ce qui se passe dans le temple et connaître la loi du Seigneur. La réponse de Joas produit un grand effet théâtral (v. 665-668). La reine a senti le coup et l'accuse : *J'entends.* Qu'est cette foule de prêtres et de lévites (v. 669)? La réponse de Joas laisse Athalie incrédule : reine impie, femme d'action, elle ne peut croire qu'on passe son temps dans la prière et dans la contemplation (v. 671).

- **L'offre d'Athalie** (v. 673-698) — N'obtenant rien de ce qu'elle souhaitait, elle renonce à questionner l'enfant; elle va tâcher de l'annexer en cherchant à l'éblouir par la perspective de ce qu'il trouvera dans le palais royal. Sa profession de tolérance lui vaut une foudroyante réponse : *le vôtre n'est rien* (v. 686). Elle fait miroiter aux yeux de l'enfant des offres de plus en plus séduisantes : *les plaisirs.* Elle s'attire une riposte directe (v. 688) : *Le bonheur des méchants comme un torrent s'écoule,* dont elle se fait, dans sa conscience, l'application. Josabet prend peur et tente d'excuser Éliacin : *Un enfant...* (690). Athalie offre à Joas de l'adopter, de faire de lui l'héritier du trône.

① Montrez, à l'aide d'exemples, que cette scène nous permet de découvrir certains traits du caractère de la vieille reine : outre la perfidie, le cynisme féroce du despote oriental, l'orgueil de la race, la haine héréditaire de Jéhovah.

■■■

ATHALIE. — Oui, ma juste fureur, et j'en fais vanité[1],
710 A vengé mes parents sur ma postérité.
J'aurais vu massacrer et mon père et mon frère[2],
Du haut de son palais précipiter ma mère,
Et dans un même jour égorger à la fois,
Quel spectacle d'horreur! quatre-vingts fils de rois.
Et pourquoi? Pour venger je ne sais quels prophètes[3],
Dont elle avait puni les fureurs[4] indiscrètes.
Et moi, reine sans cœur[5], fille sans amitié[6],
Esclave d'une lâche et frivole pitié,
Je n'aurais pas du moins à cette aveugle rage
720 Rendu meurtre pour meurtre, outrage pour outrage,
Et de votre David traité tous les neveux[7]
Comme on traitait d'Achab les restes malheureux?
Où serais-je aujourd'hui, si domptant ma faiblesse,
Je n'eusse d'une mère étouffé la tendresse,
Si de mon propre sang ma main versant des flots
N'eût par ce coup hardi réprimé vos complots?
Enfin[8] de votre Dieu l'implacable vengeance
Entre nos deux maisons rompit toute alliance.
David[9] m'est en horreur; et les fils[10] de ce roi,
730 Quoique nés de mon sang, sont étrangers pour moi.

JOSABET. — Tout vous a réussi? Que Dieu voie, et nous juge.

ATHALIE. — Ce Dieu[11], depuis longtemps votre unique refuge,
Que deviendra l'effet[12] de ses prédictions?
Qu'il vous donne ce roi promis aux nations,
Cet enfant de David, votre espoir, votre attente[13]...
Mais nous nous reverrons. Adieu; je sors contente :
J'ai voulu voir; j'ai vu.

ABNER, *à Josabet.*

— Je vous l'avais promis,
Je vous rends le dépôt que vous m'avez commis[14].

---

1. J'en tire vanité. — 2. Préface, p. 29, l. 50-62. — 3. Préface, p. 29, l. 58. — 4. Les délires prophétiques. — 5. Sans courage. — 6. Sans affection. — 7. Les descendants. — 8. A la fin. — 9. Métonymie : la race de David. — 10. Les descendants. — 11. Le sujet reste en suspens; il y a là une anacoluthe qui s'explique par la fureur d'Athalie. — 12. L'Académie a condamné cette expression et proposé : « quel *sera* l'effet ». — 13. Voir les v. 129-136. — 14. Confié.

Scène VIII. — JOAD, JOSABET, JOAS, ZACHARIE, ABNER, SALOMITH, Lévites, Le Chœur.

JOSABET, *à Joad*.

— Avez-vous entendu cette superbe[1] reine,
740 Seigneur?

JOAD. —   J'entendais tout et plaignais votre peine[2].
Ces lévites et moi, prêts à vous secourir,
Nous étions avec vous résolus de périr.

(*A Joas, en l'embrassant.*)

Que Dieu veille sur vous, enfant dont le courage
Vient de rendre à son nom ce noble témoignage.
Je reconnais[3], Abner, ce service important.
Souvenez-vous de l'heure où Joad vous attend[4].
Et nous, dont cette femme impie et meurtrière
A souillé les regards et troublé la prière,
Rentrons, et qu'un sang pur, par mes mains épanché,
750 Lave jusques[5] au marbre où[6] ses pas ont touché[7].

---

1. Orgueilleuse. — 2. Racine ne nous avait pas avertis de la présence cachée de Joad. — 3. Je **vous** suis reconnaissant de. — 4. Voir les v. 155-156. — 5. Au xviiᵉ s., les poètes écrivent *jusques* ou *jusque*, selon les besoins de la mesure. — 6. Auquel. — 7. Allusion aux cérémonies expiatoires : *Nombres*, XIX.

■■

- **La colère d'Athalie** (v. 699-737) est provoquée par la réponse de Joas à l'offre qu'elle lui adressait de faire de lui l'héritier du trône : *Pour quelle mère!* (v. 700). Aussi Athalie, reconnaissant dans toutes les paroles de l'enfant les leçons du grand prêtre et de Josabet, tourne-t-elle contre eux sa fureur.
  ① Étudiez les différents aspects de cette colère (v. 709-722, 723-726; 727-730). Est-il vrai qu'Athalie sorte *contente* (v. 736)?

- **Les caractères** — ABNER prend une attitude avantageuse quand il murmure ostensiblement à Josabet : *Princesse* (v. 619). Lorsque Joas se retire, Abner se tourne vers Josabet, dans le même prudent aparté, avec le même geste large : *Je vous rends* (v. 738). Nous ne reverrons plus Abner qu'au dénouement.
  ② JOAS. Sa présence d'esprit, son à-propos et son courage n'ont cessé de croître pendant toute la scène; montrez-le.

- **La scène 7** est unique dans le théâtre classique, et d'un pathétique tout nouveau : Racine fait trembler le spectateur par l'entretien très simple d'une vieille reine et d'un jeune enfant.
  ③ Commentez le jugement suivant de Th. Maulnier : « Le moins poétique de ses héros (ceux de Racine) est le seul enfant qu'il mette au théâtre. »

■■

Scène IX. — LE CHŒUR.

UNE DES FILLES[1] DU CHŒUR.

Quel astre à nos yeux vient de luire?
Quel[2] sera quelque jour cet enfant[3] merveilleux[4]?
Il brave le faste orgueilleux,
Et ne se laisse point séduire[5]
A[6] tous ses attraits périlleux.

UNE AUTRE.

Pendant que du dieu d'Athalie
Chacun court encenser l'autel,
Un enfant courageux publie[7]
Que Dieu lui seul est éternel,
760   *Et parle comme un autre Élie[8]*
Devant cette autre Jézabel.

UNE AUTRE.

Qui nous révélera ta naissance secrète,
Cher enfant? Es-tu fils de quelque saint prophète?

UNE AUTRE.

Ainsi l'on vit l'aimable Samuel[9]
Croître à l'ombre du tabernacle[10].
Il devint des Hébreux l'espérance et l'oracle.
Puisses-tu, comme lui, consoler Israël!

UNE AUTRE chante.

O bienheureux mille fois
L'enfant que le Seigneur aime,
770   *Qui de bonne heure entend sa voix,*
Et que ce Dieu daigne instruire lui-même!
Loin du monde élevé, de tous les dons des Cieux
Il est orné dès sa naissance;
Et du méchant l'abord contagieux
N'altère point son innocence[11].

---

1. Jeunes filles. — 2. De quelle valeur. — 3. Certains spectateurs pouvaient penser au duc de Bourgogne que la Préface désignait; voir p. 30, n. 6. — 4. Miraculeux. — 5. Mener hors du droit chemin. — 6. Par : au XVIIe s., cette construction était régulière. — 7. Proclame. — 8. Voir *Rois*, II, XXII, 16 à 20. — 9. Consacré à Dieu par sa mère dès sa naissance, il avait été, comme Joas, élevé dans le temple. — 10. Ces vers peuvent être rapprochés de ces lignes écrites par Mme de Sévigné le 8 octobre 1688 : « Le prince d'Orange s'est déclaré protecteur de la religion d'Angleterre et demande le petit prince pour l'y élever. » — 11. Voir les v. 227, 570, 629, 775, 790, 1203, 1439.

TOUT LE CHŒUR.

Heureuse, heureuse l'enfance[1]
Que le Seigneur instruit et prend sous sa défense!

LA MÊME VOIX, seule.

Tel en un secret vallon[2],
Sur le bord d'une onde pure[3],
780 *Croît à l'abri de l'aquilon,*
Un jeune lis, l'amour de la nature.
Loin du monde élevé[4] etc.

TOUT LE CHŒUR.

Heureux, heureux mille fois
L'enfant que le Seigneur rend docile à ses lois!

UNE VOIX, seule.

Mon Dieu, qu'une vertu naissante
Parmi tant de périls marche à pas incertains!
790 *Qu'une âme qui te cherche et veut être innocente[5]*
Trouve d'obstacle à ses desseins!
Que d'ennemis lui font la guerre[6]!
Où se peuvent cacher tes saints[7]?
Les pécheurs couvrent la terre.

---

1. Voir les v. 1148, 1602 et 1612. — 2. Un vallon écarté. — 3. Ces vers évoquent le paysage de Port-Royal. — 4. La reprise et les neuf vers suivants ont été ajoutés en 1692. — 5. Voir les v. 227, 570, 629, 775. — 6. Allusion aux attaques des ennemis de Port-Royal. — 7. Sens biblique : ceux qui vivent selon la Loi.

■■■

● **Le chœur** — Le chœur du deuxième acte est différent de celui du premier : l'entrevue initiale de Joas et d'Athalie a eu lieu; le chœur s'interroge avec inquiétude sur l'identité de l'enfant (que les spectateurs seuls connaissent), et il lance ses malédictions sur les idolâtres.
Le chœur débute par une musique très douce; les quatre premières strophes sont dites harmonieusement et religieusement, le chant n'intervient que là où Racine le veut (v. 768-775). Il peut se diviser en trois parties : 751-787; 788-809; 810-844.
① Retrouvez l'état d'âme correspondant à chacune de ces divisions.
② Commentez le jugement suivant de Th. Maulnier : « Ce que Racine veut mettre sur la scène française, c'est la tragédie religieuse, solennelle et sombre des Grecs, c'est-à-dire un art tout plein de surnaturel [...] Car la tragédie est dans le conflit de l'homme avec ce qui est au-dessus de l'homme, seul de ses contemporains sans doute, Racine le sait. [...] *J'entrepris donc la chose*, nous dit-il, *et je m'aperçus qu'en travaillant sur le plan qu'on m'avait donné, j'exécutais en quelque sorte un dessein qui m'était souvent passé dans l'esprit, qui était de lier, comme dans les anciennes tragédies grecques, le chœur et le chant avec l'action.* »

■■■

UNE AUTRE.

O palais de David, et sa chère cité[1],
Mont fameux, que Dieu même a longtemps habité[2],
Comment as-tu du Ciel attiré la colère?
Sion, chère Sion, que dis-tu quand tu vois
    Une impie étrangère[3]
800   *Assise, hélas! au trône[4] de tes rois?*

TOUT LE CHŒUR.

Sion, chère Sion, que dis-tu quand tu vois
    Une impie étrangère
Assise, hélas! au trône de tes rois?

LA MÊME VOIX continue.

    Au lieu des cantiques charmants
Où David t'exprimait ses saints ravissements[5],
Et bénissait son Dieu, son Seigneur et son père,
Sion, chère Sion, que dis-tu quand tu vois
    Louer le dieu de l'impie étrangère,
Et blasphémer le nom qu'ont adoré tes rois[6]?

UNE VOIX, seule.

810 *Combien de temps[7], Seigneur, combien de temps encore*
Verrons-nous contre toi les méchants[8] s'élever[9]?
Jusque dans ton saint temple ils viennent te braver.
Ils traitent d'insensé le peuple qui t'adore.
Combien de temps, Seigneur, combien de temps encore
Verrons-nous contre toi les méchants s'élever[10]?

UNE AUTRE.

Que vous sert, disent-ils, cette vertu sauvage[11]?
    De tant de plaisirs si doux
    Pourquoi fuyez-vous l'usage?
    Votre Dieu ne fait rien pour vous[12].

UNE AUTRE.

820 *Rions, chantons[13], dit cette troupe impie;*
    De fleurs en fleurs, de plaisirs en plaisirs,
    Promenons nos désirs.

---

1. « Mais David s'empara de la forteresse de Sion [...] David résida dans la forteresse et l'appela Cité de David » (*II Samuel*, V, 7). — 2. « Montagne que Dieu a désirée pour sa résidence » (*Psaume LXVIII*, 17). — 3. Voir les v. 72 et 808. — 4. Sur le trône. — 5. Extases. — 6. Cette strophe a été ajoutée en 1697. — 7. « Jusques à quand les méchants, Iahvé, — Jusques à quand les méchants exulteront-ils? » (*Psaume XCIV*, 3). — 8. Voir le v. 688. — 9. Allusion aux attaques des ennemis de Port-Royal. — 10. Se soulever. — 11. Farouche. — 12. « Mes larmes sont mon pain, nuit et jour, tandis qu'on me dit toujours : *où est ton Dieu?* » (*Psaume XLII*, 4). — 13. « Venez donc et jouissons des biens présents » (*Sagesse de Salomon*, II, 6).

Sur l'avenir, insensé qui se fie[1].
De nos ans passagers le nombre est incertain.
Hâtons-nous aujourd'hui de jouir de la vie;
Qui sait si nous serons demain?

TOUT LE CHŒUR.

Qu'ils pleurent, ô mon Dieu, qu'ils frémissent de crainte,
Ces malheureux, qui de ta cité sainte
Ne verront point l'éternelle splendeur.
830 *C'est à nous de chanter, nous à qui tu révèles*
Tes clartés immortelles;
C'est à nous de chanter tes dons et ta grandeur.

UNE VOIX, seule

De tous ces vains plaisirs où[2] leur âme se plonge,
Que leur restera-t-il? Ce qui reste d'un songe
Dont on a reconnu l'erreur.
A leur réveil, ô réveil plein d'horreur[3]!
Pendant que le pauvre à ta table
Goûtera de ta paix la douceur ineffable,
Ils boiront dans la coupe affreuse, inépuisable[4],
840 *Que tu présenteras au jour de ta fureur*
A toute la race coupable.

TOUT LE CHŒUR.

O réveil plein d'horreur!
O songe peu durable!
O dangereuse erreur!

---

1. Qui se fie à; voir *les Plaideurs*, V, 1, et *Britannicus*. v. 607. Après Bertaut, Malherbe, Racan, Godeau et Bossuet, Racine lutte aussi contre les impies. — 2. Dans lesquels, — 3. « Ils sont finis, achevés par les épouvantes! Tel un songe au réveil... » (*Psaume* LXXIII, 19-20). — 4. « Car dans la main de Iahvé est une coupe où fermente du vin épicé, il en verse et c'est jusqu'à la lie que la vident, en buvant, tous les méchants de la terre! » (*Psaume* LXXV, 9); « Lève-toi, Jérusalem qui as bu de la main de Iahvé la coupe de sa fureur » (*Isaïe*, LI, 17).

ACTE III

SCÈNE PREMIÈRE. — MATHAN, NABAL, LE CHŒUR.

MATHAN. — Jeunes filles, allez[1] : qu'on dise à Josabet
Que Mathan veut ici lui parler en secret.

UNE DES FILLES DU CHŒUR.
— Mathan ! O Dieu du ciel, puisses-tu le confondre[2] !

NABAL. — Hé quoi? tout[3] se disperse, et fuit sans vous répondre?

MATHAN. — Approchons.

SCÈNE II. — ZACHARIE, MATHAN, NABAL.

ZACHARIE. —   Téméraire, où voulez-vous passer?
850 Au delà de ce lieu gardez-vous d'avancer.
C'est des ministres saints la demeure sacrée;
Les lois à tout profane en défendent l'entrée.
Qui cherchez-vous? Mon père, en ce jour solennel,
De l'idolâtre impur fuit l'aspect criminel[4];
Et devant le Seigneur maintenant prosternée,
Ma mère en ce devoir craint d'être détournée.

MATHAN. — Mon fils, nous attendrons : cessez de vous troubler.
C'est votre illustre mère à qui[5] je veux parler.
Je viens ici chargé d'un ordre de la Reine.

SCÈNE III. — MATHAN, NABAL.

NABAL. 860 Les enfants ont déjà leur audace hautaine.
Mais que veut Athalie en cette occasion?
D'où naît dans ses conseils[6] cette confusion[7]?
Par l'insolent Joad ce matin offensée,
Et d'un enfant fatal en songe menacée,
Elle allait immoler Joad à son courroux,
Et dans ce temple enfin placer Baal et vous.

1. Il n'y a pas d'entractes dans *Athalie;* Mathan est entré au moment où le chœur prononçait ses dernières paroles. — 2. Le troubler jusqu'à lui faire perdre la raison. — 3. Tout le monde. — 4. L'idolâtre dont l'aspect serait un crime. — 5. C'est à votre illustre mère que. — 6. Ses projets. — 7. Ce désordre.

Vous m'en aviez déjà confié votre joie,
Et j'espérais ma part d'une si riche proie.
Qui[1] fait changer ainsi ses vœux irrésolus?

MATHAN. -870 Ami, depuis deux jours je ne la connais[2] plus.
Ce n'est plus cette reine éclairée[3], intrépide,
Élevée au-dessus de son sexe timide[4],
Qui d'abord[5] accablait ses ennemis surpris[6],
Et d'un instant perdu connaissait tout le prix.
La peur d'un vain remords[7] trouble cette grande âme :
Elle flotte, elle hésite; en un mot, elle est femme[8].
J'avais tantôt rempli d'amertume et de fiel[9]
Son cœur déjà saisi des menaces[10] du Ciel.

---

1. Quelle chose. — 2. Reconnais. — 3. M. Orcibal estime que, dans la bouche de Mathan, le mot *éclairé* a le sens de : « étranger aux scrupules moraux et religieux ». — 4. Qui craint tout. — 5. Aussitôt. — 6. Attaqués à l'improviste. — 7. La peur de commettre un crime qui serait suivi d'un remords inutile. — 8. Pour la rime *âme-femme*, voir le v. 111. — 9. D'animosité. — 10. Frappé par les menaces.

- **Le chœur** — A propos des chœurs d'*Esther*, Vianey écrit : « L'idée de transformer le chœur d'ode en véritable scène lui [à Racine] fut certainement suggérée par les intermèdes de certaines comédies de Molière, et, à un bien moindre degré, par les opéras de Quinault. L'exécution en fut d'ailleurs facilitée par les conditions mêmes où il fit jouer *Esther*. Il désirait, sans doute, pour être agréable aux directrices de la Maison de Saint-Cyr, multiplier les personnages, de façon à employer un grand nombre d'actrices. Ce désir l'amenait à concevoir tout chant du chœur comme une conversation très animée, où chacune des pensionnaires appartenant aux classes qui jouaient la pièce pourrait avoir un bout de rôle, dire un mot, faire entendre sa voix. »
  ① Croyez-vous que ce soit vrai aussi pour les chœurs d'*Athalie?*

- **Mise en scène** — G. Le Roy écrit : « Bien observer l'indication de Racine pour le chœur chanté (v. 827-832) et le solo (v. 833-841). Cette dernière strophe est la plus belle à dire, mais elle requiert tant de maîtrise dans le rythme, la mesure et l'émotion qu'elle semble exiger toutes les qualités que l'on demande à l'interprète d'un premier rôle. »
  Comme il n'y a pas d'entractes, dans *Athalie*, les jeunes filles du chœur se dispersent à l'arrivée de Mathan à qui Nabal ne pourrait pas faire ses confidences en présence du chœur.

- **La scène 2 de l'acte III**
  ② Relevez les traits qui composent la physionomie de Nabal.
  ③ Étudiez la façon dont Zacharie barre la route à Mathan.

- **La scène 3**
  Mathan dépeint d'abord l'irrésolution d'Athalie et montre, avec beaucoup de lucidité, comment l'âme d'Athalie est envahie.
  ④ Appréciez la vérité du vers 876.

Elle-même, à mes soins confiant sa vengeance,
880 M'avait dit d'assembler sa garde en diligence.
Mais soit que cet enfant devant elle amené,
De ses parents, dit-on, rebut infortuné,
Eût d'un songe effrayant diminué l'alarme,
Soit qu'elle eût même en lui vu je ne sais quel charme[1],
J'ai trouvé son courroux chancelant, incertain,
Et déjà remettant sa vengeance à demain.
Tous ses projets semblaient l'un l'autre se détruire.
« Du sort de cet enfant je me suis fait instruire,
Ai-je dit. On commence à vanter ses aïeux;
890 Joad de temps en temps le montre aux factieux,
Le fait attendre aux Juifs, comme un autre Moïse,
Et d'oracles menteurs s'appuie et s'autorise[2]. »
Ces mots ont fait monter la rougeur sur son front.
Jamais mensonge heureux n'eut un effet si prompt.
« Est-ce à moi de languir dans cette incertitude?
Sortons, a-t-elle dit, sortons d'inquiétude[3].
Vous-même à Josabet prononcez cet arrêt :
Les feux vont s'allumer et le fer est tout prêt;
Rien ne peut de leur temple empêcher le ravage,
900 Si je n'ai de leur foi[4] cet enfant pour otage[5]. »

NABAL. — Hé bien? pour un enfant qu'ils ne connaissent pas,
Que le hasard peut-être a jeté dans leurs bras,
Voudront-ils que leur temple enseveli sous l'herbe...

MATHAN. — Ah ! de tous les mortels connais le plus superbe[6].
Plutôt que dans mes mains par Joad soit livré
Un enfant qu'à son Dieu Joad a consacré,
Tu lui verras subir la mort la plus terrible[7].
D'ailleurs pour cet enfant leur attache[8] est visible.
Si j'ai bien de la Reine entendu[9] le récit,
910 Joad sur sa naissance en sait plus qu'il ne dit.
Quel qu'il soit, je prévois qu'il leur sera funeste[10].
Ils le refuseront. Je prends sur moi le reste;
Et j'espère qu'enfin de ce temple odieux
Et la flamme et le fer vont délivrer mes yeux.

---

1. Sens fort : attirance magique. — 2. S'appuie sur des oracles menteurs et s'autorise de ces oracles; la coordination serait incorrecte aujourd'hui. — 3. Cessons de nous agiter. — 4. De leur fidélité, et même de leur loyalisme. — 5. Pour caution. — 6. Le plus orgueilleux. — 7. La plus intraitable. — 8. Leur attachement (affection et intérêt). — 9. Compris. — 10. Qu'il causera leur perte.

NABAL. — Qui[1] peut vous inspirer une haine si forte?
Est-ce que de Baal le zèle vous transporte?
Pour moi, vous le savez, descendu d'Ismaël[2],
Je ne sers ni Baal, ni le Dieu d'Israël.

MATHAN. — Ami, peux-tu penser que d'un[3] zèle frivole
920 Je me laisse aveugler pour une vaine idole,
Pour un fragile bois[4] que malgré mon secours
Les vers sur son autel consument tous les jours[5]?
Né ministre du dieu qu'en ce temple on adore,
Peut-être que Mathan le servirait encore,
Si l'amour des grandeurs, la soif de commander
Avec son joug étroit[6] pouvaient s'accommoder.
Qu'est-il besoin, Nabal, qu'à tes yeux je rappelle
De Joad et de moi la fameuse querelle,
Quand j'osai contre lui disputer l'encensoir[7],
930 Mes brigues, mes combats, mes pleurs, mon désespoir?

---

1. Qu'est-ce qui? — 2. Fils d'Agar et d'Abraham, ancêtre du peuple israélite qui devint idolâtre. — 3. Par un. — 4. « J'adorerais un bout de bois? » (*Isaïe*, XLIV, 19). — 5. « Le scepticisme qu'affiche le prêtre de Baal (v. 919-922), c'est celui que Le Noble et beaucoup de contemporains attribuaient au latitudinariste Burnet » (J. Orcibal). — 6. Voir le v. 41. — 7. L'une des prérogatives des prêtres était d'offrir l'encens à Dieu; voir *Chroniques*, XXVI, 16 à 18; disputer l'encensoir, c'est disputer la dignité de grand prêtre.

■■

● **Le comportement de Mathan** — Il a essayé d'entraîner Athalie au coup de force; elle ne l'a pas suivi (v. 879-887). Pourquoi? Comment se fait-il que lui, qui est pourtant clairvoyant, ne discerne pas les vrais motifs de l'irrésolution d'Athalie? Il a recours à un mensonge qu'il qualifie d'heureux (v. 887-892). Par ce mensonge, il a obtenu d'apporter lui-même à Josabet l'arrêt de la Reine : livrer l'enfant ou voir le temple détruit (v. 893-900).

Il sait que cet enfant lui sera refusé; ce qui lui permettra de revenir à son premier dessein : la destruction du temple. Il le dit, au cours d'une crise brève, mais violente, où il manifeste sa haine envers Joad en des termes tels que son confident Nabal en est lui-même surpris.

① Commentez le jugement suivant de M. Raymond Picard : « Les desseins politiques du méchant sont dérangés par l'intervention de Dieu. Le trouble d'Athalie s'exprime de la même façon que celui de Phèdre à son arrivée sur le théâtre. *Tu vois mon trouble et ma faiblesse*, disait-elle à sa confidente. Ici, comme les vœux de Phèdre, tous ses projets [d'Athalie] semblaient l'un l'autre se détruire. Le souvenir de Phèdre poursuit Racine dans *Athalie* comme dans *Esther*. »

■■

Vaincu par lui, j'entrai dans une autre carrière,
Et mon âme à la cour s'attacha toute entière.
J'approchai par degrés de l'oreille des rois,
Et bientôt en oracle on érigea ma voix.
J'étudiai leur cœur, je flattai leurs caprices,
Je leur semai de fleurs le bord des précipices.
Près de[1] leurs passions rien ne me fut sacré ;
De mesure et de poids je changeais à leur gré.
Autant que[2] de Joad l'inflexible rudesse
940 De leur superbe oreille offensait[3] la mollesse,
Autant je les charmais par ma dextérité[4],
Dérobant à leurs yeux la triste[5] vérité,
Prêtant à leurs fureurs des couleurs[6] favorables,
Et prodigue surtout du sang des misérables[7].
    Enfin[8] au Dieu nouveau, qu'elle avait introduit,
Par les mains d'Athalie un temple fut construit.
Jérusalem pleura de se voir profanée ;
Des enfants de Lévi la troupe consternée
En[9] poussa vers le ciel des hurlements[10] affreux[11].
950 Moi seul, donnant l'exemple aux timides[12] Hébreux,
Déserteur de leur loi, j'approuvai l'entreprise,
Et par là de Baal méritai la prêtrise.
Par là je me rendis terrible à mon rival,
Je ceignis la tiare, et marchai son égal[13].
Toutefois, je l'avoue, en ce comble de gloire,
Du dieu que j'ai quitté l'importune mémoire
Jette encore en mon âme un reste de terreur[14] ;
Et c'est ce qui redouble et nourrit ma fureur[15].
Heureux si sur son temple achevant ma vengeance,
960 Je puis convaincre enfin sa haine d'impuissance,
Et parmi le débris[16], le ravage et les morts,
A force d'attentats perdre tous mes remords[17] !
Mais voici Josabet.

---

1. En regard de. — 2. Nous supprimerions aujourd'hui ce *que*. — 3. Blessait. — 4. Mon habileté d'esprit. — 5. Fâcheuse. — 6. Prétextes. — 7. Malheureux. — 8. A la fin. — 9. A la suite de cela. — 10. Cette expression vient de la Bible et signifie : gémissements. — 11. Effroyables. — 12. Craintifs. — 13. Souvenir de Virgile, *Énéide*, I, 46, 47 : « Mais moi qui marche reine des Dieux, sœur et femme de Jupiter. » — 14. Racine rappelle, une fois de plus, que seul l'amour de Dieu peut rendre la paix aux cœurs troublés. — 15. Ce mot est souvent appliqué à Mathan et à Athalie : voir les v. 422, 1657 et 1810. — 16. Au XVIIe s., le mot s'employait au singulier, avec le sens de *ruines* ; aujourd'hui, la préposition *parmi* devrait se construire avec le pluriel. — 17. Ce vers pourrait être extrait de la IVe *Provinciale*, Mathan pourrait être un apostat du Jansénisme.

SCÈNE IV. — JOSABET, MATHAN, NABAL.

MATHAN. —   Envoyé par la Reine,
Pour rétablir le calme et dissiper la haine,
Princesse, en qui le Ciel mit un esprit[1] si doux,
Ne vous étonnez pas si je m'adresse à vous.
Un bruit, que j'ai pourtant soupçonné de mensonge,
Appuyant les avis[2] qu'elle a reçus en songe,
Sur Joad, accusé de dangereux complots,
970 Allait de sa colère attirer tous les flots.
Je ne veux point ici vous vanter mes services.
De Joad contre moi je sais les injustices ;
Mais il faut à l'offense opposer les bienfaits.
Enfin[3] je viens chargé de paroles de paix.
Vivez, solennisez[4] vos fêtes sans ombrage[5].
De votre obéissance elle ne veut qu'un gage :
C'est, pour l'en détourner j'ai fait ce que j'ai pu,
Cet enfant sans parents, qu'elle dit qu'elle a vu.

JOSABET. — Éliacin !

---

1. Un cœur. — 2. Donnant crédit aux avis. — 3. Voir le v. 945. — 4. Célébrez. — 5. Sans inquiétude.

- **La confidence de Mathan** (v. 931-963) — La colère va le pousser à la confidence, il va tout nous dire. Sa carrière à la cour, son apostasie n'ont qu'une explication : sa rivalité avec Joad.
  — Sa carrière à la cour. Son comportement semble inspiré de celui de Tartuffe. Ce dernier aussi avait conquis *par degrés* (v. 933) Orgon et sa maison où sa voix fut bientôt érigée *en oracle* (v. 934).
  — Sa carrière chez Baal. Il rappelle avec orgueil qu'il a donné l'exemple de la désertion (v. 951) aux timides Hébreux. Sa satisfaction éclate au vers 954.
  — Le trouble. Et pourtant, au comble de ce qu'il appelle sa *gloire* (v. 955), il y a dans son âme un reste de terreur qu'entretient Dieu à qui il s'est attaqué. Cette terreur le rend furieux.
  ① Qu'est-ce qui fait la beauté du vers 962 ?
  ② Relevez les vers où se manifestent sa douceur hypocrite et ses insinuations perfides. Il est menteur ; comparez le vers 978 au vers 888. Quelle expression du vers 982 vous permet d'affirmer qu'il est méchant ? Relisez les vers 35 et 36.
  ③ Commentez le jugement suivant de G. Le Roy : « Extérieurement, Mathan peut avoir tous les dons humains. Quant aux qualités intellectuelles, sauf la probité, il peut les avoir toutes : clarté, finesse, autorité, distinction de l'esprit, patience, politesse, il a tout cela. Il pouvait prétendre au plus haut rang. Et c'est bien ce qu'il a fait. »

MATHAN. —   J'en ai pour elle quelque honte.
980 D'un vain songe peut-être elle fait trop de compte[1].
Mais vous vous déclarez ses mortels ennemis,
Si cet enfant sur l'heure en mes mains n'est remis[2].
La Reine impatiente attend votre réponse.

JOSABET. — Et voilà de sa part la paix qu'on nous annonce !

MATHAN. — Pourriez-vous un moment douter de[3] l'accepter ?
D'un peu de complaisance est-ce trop l'acheter ?

JOSABET. — J'admirais si[4] Mathan, dépouillant l'artifice[5],
Avait pu de son cœur surmonter l'injustice,
Et si de tant de maux le funeste inventeur
990 De quelque ombre de bien pouvait être l'auteur.

MATHAN. — De quoi vous plaignez-vous ? Vient-on avec furie
Arracher de vos bras votre fils Zacharie ?
Quel est cet autre enfant si cher à votre amour ?
Ce grand attachement me surprend à mon tour.
Est-ce un trésor pour vous si précieux, si rare ?
Est-ce un libérateur que le Ciel vous prépare ?
Songez-y : vos refus pourraient me confirmer
Un bruit sourd que déjà l'on commence à semer.

JOSABET. — Quel bruit ?

MATHAN. —   Que cet enfant vient d'illustre origine[6],
1000 Qu'à quelque grand projet votre époux le destine.

JOSABET. — Et Mathan par ce bruit qui flatte[7] sa fureur[8]...

MATHAN. — Princesse, c'est à vous à me tirer d'erreur.
Je sais que du mensonge implacable ennemie,
Josabet livrerait même sa propre vie,
S'il fallait que sa vie à sa sincérité
Coûtât le moindre mot contre la vérité.
Du sort[9] de cet enfant on n'a donc nulle trace ?
Une profonde nuit enveloppe sa race ?
Et vous-même ignorez de quels parents issu,
1010 De quelles mains Joad en ses bras l'a reçu ?
Parlez ; je vous écoute, et suis prêt de[10] vous croire.

---

1. Elle tient trop de compte. — 2. N'est *pas* remis ; au XVIIe s., *ne* suffisait à exprimer la négation. — 3. Hésiter à. — 4. J'aurais été étonné si. — 5. Son esprit de ruse et d'hypocrisie. — 6. D'une illustre origine ; la suppression de l'article était fréquente au XVIIe s. — 7. Encourage. — 8. Voir le v. 958. — 9. De la naissance. — 10. Prêt à.

> Au Dieu que vous servez, Princesse, rendez gloire.

JOSABET. — Méchant[1], c'est bien à vous d'oser ainsi nommer
> Un Dieu que votre bouche enseigne à blasphémer.
> Sa vérité par vous peut-elle être attestée[2],
> Vous, malheureux, assis dans la chaire empestée[3]
> Où le mensonge règne et répand son poison,
> Vous, nourri dans la fourbe[4] et dans la trahison?

---

1. Voir le v. 688. — 2. Invoquée en témoignage (du verbe latin *attestari :* prendre à témoin). — 3. Expression biblique. — 4. Fourberie; le XVII⁰ s. employait indifféremment *fourbe* et *fourberie;* voir le v. 1728 et Bossuet (*Histoire universelle*, I, 5) : « Sa fourbe fut bientôt découverte. »

■■

- **Les caractères** — Le ton doucereux de MATHAN, ses questions insidieuses et ses insinuations pour arracher à Josabet son secret sont bien dans sa manière. Mais si son ironie (v.991-998) est révoltante, ses menaces, son odieuse habileté à se servir du Dieu de Josabet pour la contraindre à un aveu fatal le sont encore plus.

  JOSABET ne s'est pas trompée sur la démarche de Mathan, elle l'a bien prise pour une déclaration de guerre (v. 984). Elle ne se trompe pas non plus sur Mathan : peut-il être l'auteur de quelque ombre de bien? Elle réplique avec vigueur à l'odieuse habileté de Mathan (v. 1012); elle ne craint pas de toiser cet individu rebelle à la loi de Dieu (*méchant*) et de lui dire son fait (v. 1013-1018). Mais il n'aura pas obtenu l'aveu fatal, Joad intervient à temps.

- **Le pathétique de la scène 4 et l'action** — Nous tremblons de voir en présence Mathan et la craintive Josabet. Le duel est inégal et le drame progresse rapidement. Le danger continue de croître. Éliacin, dont le nom a été prononcé au v. 979, est de plus en plus menacé. Voyez le policier Mathan guettant sur le visage de Josabet les réactions qu'il va provoquer en évoquant le *trésor précieux* (v. 995), le *libérateur* (v. 996). Josabet a tenu, mais elle est pleine de terreur.

  ① Approuvez-vous cette opinion de Faguet à propos de l'attitude de Mathan (v. 1002-1012) : « Il est bête [...] il fait appel à la sincérité de Josabet au nom du Dieu de Joad. »

  ② Comment expliquez-vous l'échec de Mathan malgré les armes dont il disposait?

  ③ Comparez le caractère de Mathan à celui de Narcisse dans *Britannicus*.

  ④ Commentez ce jugement de G. Le Roy sur Mathan : « Il engage son ambassade sans fausse solennité. Toutes les qualités humaines que nous avons reconnues se montrent ici. Il est à l'aise dans les grandes circonstances politiques [...] Comme les hommes de haut rang savent parler simplement de graves questions ou de dangereuses affaires, Mathan sait manier élégamment la conversation diplomatique qui précède la guerre. »

■■

SCÈNE V. — JOAD, JOSABET, MATHAN, NABAL.

JOAD.   — Où suis-je? De Baal ne vois-je pas le prêtre?
1020 Quoi, fille de David[1], vous parlez à ce traître?
  Vous souffrez qu'il vous parle? Et vous ne craignez pas
  Que du fond de l'abîme entr'ouvert sous ses pas
  Il ne sorte à l'instant des feux qui vous embrasent,
  Ou qu'en tombant sur lui ces murs ne vous écrasent?
  Que veut-il? De quel front[2] cet ennemi de Dieu
  Vient-il infecter l'air qu'on respire en ce lieu[3]?

MATHAN.   — On reconnaît Joad à cette violence.
  Toutefois, il devrait montrer plus de prudence,
  Respecter une reine, et ne pas outrager
1030 Celui que de son ordre elle a daigné charger.

JOAD.   — Hé bien, que nous fait-elle annoncer de sinistre?
  Quel sera l'ordre affreux qu'apporte un tel ministre?

MATHAN.   — J'ai fait à Josabet savoir sa volonté.

JOAD.   — Sors donc de devant moi, monstre d'impiété.
  De toutes tes horreurs, va, comble[4] la mesure.
  Dieu s'apprête à te joindre à la race parjure,
  Abiron et Dathan, Doëg, Achitophel[5].
  Les chiens, à qui son bras[6] a livré Jézabel,
  Attendant que sur toi sa fureur se déploie,
1040 Déjà sont à ta porte et demandent leur proie.

MATHAN *(Il se trouble)*.
  — Avant la fin du jour... on verra qui de nous...
  Doit... Mais sortons, Nabal.

NABAL.   —   Où vous égarez-vous?
  De vos sens étonnés[7] quel désordre[8] s'empare?
  Voilà votre chemin.

---

1. La périphrase est employée à dessein. — 2. Quelle audace. — 3. Le grand prêtre veillait à la pureté, à la sainteté. — 4. Remplis. — 5. Voir le bandeau. Abiron et Dathan se soulevèrent contre Moïse; ils furent engloutis par la terre qui s'ouvrit sous leurs pas. Doëg, pour avoir dénoncé à Saül le prêtre Achemelech qui avait secouru David, fut maudit par David; Achitophel, mauvais conseiller d'Absalon qu'il avait poussé à la révolte contre David, se pendit de désespoir. — 6. « Pour toucher le cœur de Louis XIV et pour vaincre le redoutable prince d'Orange, Racine ne compte pas sur son éloquence ni même sur l'appui de Madame de Maintenon, il met tout espoir dans le bras terrible et miséricordieux que ses chants implorent » (J. Orcibal). — 7. Frappés de terreur. — 8. Quel égarement.

SCÈNE VI. — JOAD, JOSABET.

JOSABET. —   L'orage se déclare.
Athalie en fureur demande Éliacin.
Déjà de sa naissance et de votre dessein
On commence, Seigneur, à percer le mystère :
Peu s'en faut que Mathan ne m'ait nommé son père.

JOAD. —   Au perfide Mathan qui l'aurait révélé?
     1050 Votre trouble à Mathan n'a-t-il point trop parlé?

JOSABET. — J'ai fait ce que j'ai pu pour m'en[1] rendre maîtresse.
Cependant, croyez-moi, Seigneur, le péril presse.
Réservons cet enfant pour un temps plus heureux.
Tandis que les méchants délibèrent entre eux,

---

1. De mon trouble.

■■

- **Les caractères** — La colère de JOAD est d'abord défensive : à Josabet (*quoi :* v. 1020), il fait valoir les risques que l'on court à s'entretenir avec un ennemi de Dieu comme Mathan ; à ce traître, il exprime son mépris à l'aide des pronoms de la troisième personne : *lui, il* (v. 1019-1026).
  En deux mots (v. 1032), Joad arrache à Mathan son masque. Puis, c'est la colère offensive : Joad, l'index tendu, montre à Mathan la porte et, par-delà, les instruments de la vengeance divine.
  MATHAN essaye de sauver la face (v. 1027-1033), mais nous le sentons déjà terrassé. Il se trouble, il s'égare, il se courbe sous la colère de Dieu : v. 1041-1044.

  ① Appréciez la périphrase : *fille de David* (v. 1020).

  ② Étudiez le rythme du vers 1034.

  ③ Commentez le jugement suivant : « Dans ces deux tragédies [*Phèdre* et *Athalie*] — est-ce une coïncidence —, les sonorités prennent une importance inattendue ; on y voit soudain surgir des vers comme ceux-ci : *La fille de Minos et de Pasiphaé* (*Phèdre*, v. 36), *Abiron et Dathan, Doëg, Achitophel* (*Athalie*, v. 1037) où il n'y a plus rien de conceptuel ; personne ne connaît ces gens-là et n'a envie de les connaître ; ce ne sont que des visions de rêve ou de cauchemar ; plus exactement ce ne sont que des sons, des sons étranges dont l'oreille se grise, et uniquement destinés à créer une ambiance, évoquant, ceux-ci, par leur douceur mélodieuse, l'Hellade des dieux et des héros, ceux-là, par leur rauque âpreté, la Judée des prophètes » (M. L. Deshayes, *Humanités — Lettres*, octobre 1952).

■■

Avant qu'on l'environne, avant qu'on nous l'arrache,
Une seconde fois souffrez que je le cache.
Les portes, les chemins lui sont encore ouverts.
Faut-il le transporter aux plus affreux déserts ?
Je suis prête. Je sais une secrète issue
1060 Par où, sans qu'on le voie, et sans être aperçue,
De Cédron[1] avec lui traversant le torrent,
J'irai dans le désert[2], où jadis en pleurant,
Et cherchant comme nous son salut dans la fuite,
David d'un fils rebelle évita la poursuite.
Je craindrai moins pour lui les lions et les ours[3]...
Mais pourquoi de Jéhu[4] refuser le secours ?
Je vous ouvre peut-être un avis salutaire.
Faisons de ce trésor Jéhu dépositaire.
On peut dans ses États le conduire aujourd'hui,
1070 Et le chemin est court[5] qui[6] mène jusqu'à lui.
Jéhu n'a point un cœur farouche, inexorable ;
De David à ses yeux le nom est favorable[7].
Hélas ! est-il un roi si dur et si cruel,
A moins qu'il n'eût pour mère une autre Jézabel,
Qui d'un tel suppliant ne plaignît[8] l'infortune ?
Sa cause à tous les rois n'est-elle pas commune[9] ?

JOAD.   — Quels timides[10] conseils m'osez-vous suggérer ?
         En l'appui de Jéhu pourriez-vous espérer ?

JOSABET. — Dieu défend-il tout soin et toute prévoyance ?
1080   Ne l'offense-t-on point par trop de confiance ?
         A ses desseins sacrés employant les humains,
         N'a-t-il pas de Jéhu lui-même armé les mains[11] ?

JOAD.   — Jéhu, qu'avait choisi sa sagesse profonde,
         Jéhu, sur qui je vois que votre espoir se fonde,
         D'un oubli trop ingrat a payé ses bienfaits.

---

1. L'absence d'article est fréquente au XVIIᵉ s. ; le Cédron est un torrent qui coule à l'est de Jérusalem et se jette dans la mer Morte : voir la carte, p. 33. — 2. Le désert d'Engaddi où s'était réfugié David, fuyant devant son fils Absalon. — 3. L's ne se prononçait pas au XVIIᵉ s. — 4. Voir le v. 82 et la Préface p. 29, l. 59-62. — 5. Samarie où régnait Jéhu était à quatorze lieues de Jérusalem. — 6. Le relatif est séparé de son antécédent, construction assez fréquente au XVIIᵉ s. — 7. Il attire la faveur, est sympathique. — 8. Ne plaindrait. — 9. Allusion à la générosité de Louis XIV à l'égard du roi déchu Jacques II d'Angleterre ? Racine inviterait ainsi les autres gouvernements d'Europe à suivre l'exemple de la France. — 10. Peureux, dictés par la peur. — 11. Voir la Préface p. 29, l. 57-59.

Jéhu laisse d'Achab l'affreuse fille en paix,
Suit des rois d'Israël les profanes exemples,
Du vil Dieu de l'Égypte[1] a conservé les temples.
Jéhu, sur les hauts lieux[2] enfin osant offrir
1090 Un téméraire encens que Dieu ne peut souffrir,
N'a pour servir sa cause et venger ses injures[3]
Ni le cœur assez droit ni les mains assez pures.
Non, non : c'est à Dieu seul qu'il nous faut attacher.
Montrons Éliacin; et loin de le cacher[4],
Que du bandeau royal sa tête soit ornée.
Je veux même avancer l'heure déterminée[5],
Avant que de Mathan le complot soit formé.

---

1. Du veau d'or; voir *Rois*, II, 10, 29. « Toutefois, Jéhu ne se détourna pas des péchés par lesquels Jéroboam, fils de Nebat, avait fait pécher Israël », à savoir les veaux d'or qui se trouvaient à Bethel et à Dan. — 2. Voir la Préface p. 29, l. 10. — 3. Les offenses faites à Dieu. — 4. Loin que nous le cachions. — 5. L'heure fixée pour le couronnement de Joas.

■■■

- **Le coup de théâtre** — Le troisième acte a souvent une grande importance dramatique dans les tragédies de Racine, Pierre Moreau l'observe en ces termes : « Portés de droite et de gauche, dans des oscillations qui donnent à chaque acte et presque à chaque scène son dénouement particulier, les personnages arrivent d'ordinaire vers la fin du troisième acte à ce point critique de l'action, qui est au bord du dénouement définitif et qu'on appelle coup de théâtre. C'est l'instant où Andromaque est placée en face du marché imposé par Pyrrhus et où elle se rend au tombeau d'Hector; [...] où Néron fait arrêter sa mère, son rival, et menace Burrhus; c'est l'instant enfin où l'orage se déclare :
  Athalie en fureur demande Éliacin [v. 1045]. »

- **L'action** — Joad pense, comme Josabet, que la crise est venue. Pour faire face à l'orage, deux méthodes vont se heurter :
  — Josabet, que l'amour maternel rend intrépide, veut cacher l'enfant : avec une prévoyance toute humaine, elle veut le confier à Jéhu.
  — Joad décide, ordonne (v. 1094) la solution la plus téméraire; sûr de Dieu, sûr de l'heure, il engage l'action en « prophète ».

  ① Doit-on considérer comme une négligence la répétition du nom de *Mathan* à l'hémistiche des vers 1048, 1049 et 1050?

  ② Achevez la pensée de Josabet au vers 1065.

  ③ Anatole France (d'après M. des Hons) ne comprenait pas que « l'exquise Josabet » ait pu concevoir le projet de confier Joas à Jéhu (v. 1066-1072) : « Jéhu a tué de ses propres mains son frère Ochosias, le père de Joas, et c'est à cet assassin qu'elle veut confier le fils qu'il a fait orphelin [...] Elle fait bon marché du meurtre de son frère. »
  Quelle est votre opinion?

■■■

SCÈNE VII. — JOAD, JOSABET; AZARIAS,
suivi du Chœur et de plusieurs lévites.

JOAD. — Hé bien, Azarias, le temple est-il fermé?

AZARIAS. — J'en ai fait devant moi fermer toutes les portes[1].

JOAD. 1100 N'y reste-t-il que vous et vos saintes cohortes[2]?

AZARIAS. — De ses parvis[3] sacrés j'ai deux fois fait le tour.
Tout a fui, tous se sont séparés sans retour,
Misérable troupeau qu'a dispersé la crainte;
Et Dieu n'est plus servi que dans la tribu sainte[4].
Depuis qu'à Pharaon[5] ce peuple est échappé[6],
Une égale terreur ne l'avait point frappé.

JOAD. — Peuple lâche, en effet, et né pour l'esclavage,
Hardi contre Dieu seul! Poursuivons notre ouvrage.
Mais qui[7] retient encor ces enfants parmi nous?

UNE DES FILLES DU CHŒUR.

1110 Hé! pourrions-nous, Seigneur, nous séparer de vous?
Dans le temple de Dieu sommes-nous étrangères?
Vous avez près de vous nos pères et nos frères[8].

UNE AUTRE.

— Hélas! si pour venger l'opprobre d'Israël,
Nos mains ne peuvent pas, comme autrefois Jahel[9],
Des ennemis de Dieu percer la tête impie,
Nous lui pouvons du moins immoler notre vie.
Quand vos bras combattront pour son temple attaqué,
Par nos larmes du moins il peut être invoqué.

JOAD. — Voilà donc quels vengeurs s'arment pour ta querelle[10],
1120 Des prêtres, des enfants, ô Sagesse éternelle!
Mais si tu les soutiens, qui peut les ébranler?
Du tombeau, quand tu veux, tu sais nous rappeler.
Tu frappes et guéris. Tu perds[11] et ressuscites[12].
Ils ne s'assurent point[13] en leurs propres mérites,

---

1. Le temple avait quatre grandes portes, aux quatre points cardinaux. Athalie devait entrer par la porte du midi. — 2. Voir le v. 219. — 3. Au pluriel, le mot désigne le vestibule et l'enceinte du temple. — 4. Dans la tribu de Lévi, par les lévites. — 5. Voir le v. 403. — 6. Voir le v. 351. — 7. Qu'est-ce qui? — 8. Si Joas est Racine, les jeunes Israélites peuvent aisément faire penser aux petites pensionnaires qu'attachaient à Port-Royal de multiples liens de famille. — 9. « *Jug.* c. 4. » (note de Racine). « Sisera, chef de l'armée chanaéenne, vaincu par les Hébreux, s'était enfui vers la tente de Jaël, femme de Hiber qui, pendant son sommeil, lui enfonça dans la tempe un piquet de la tente » (*Juges*, IV, 17 à 19). — 10. Ta cause. — 11. Tu fais périr. — 12. Pour ces deux vers, voir *Sagesse*, XVI, 13 : « Car toi, tu as pouvoir sur la vie et sur la mort, tu conduis aux portes de l'Hadès et tu en ramènes. » — 13. Ne mettent pas leur confiance.

Mais en ton nom sur eux invoqué tant de fois,
En tes serments jurés au plus saint de leurs rois[1],
En ce temple où tu fais ta demeure sacrée,
Et qui doit du soleil égaler la durée[2].
Mais d'où vient que mon cœur frémit d'un saint effroi ?
1130 Est-ce l'Esprit divin qui s'empare de moi ?
C'est lui-même. Il m'échauffe. Il parle. Mes yeux s'ouvrent,
Et les siècles obscurs devant moi se découvrent.
Lévites, de vos sons prêtez-moi les accords,
Et de ses mouvements[3] secondez les transports.

LE CHŒUR chante au son de toute la symphonie des instruments.

Que du Seigneur la voix se fasse entendre,
Et qu'à nos cœurs son oracle divin
Soit ce qu'à l'herbe tendre
Est, au printemps, la fraîcheur du matin.

---

1. David. — 2. Voir *Psaumes*, LXXXVIII, 38. — 3. Les mouvements de l'Esprit divin.

- **Les caractères** — JOAD apparaît d'abord comme un chef plein de mépris pour son peuple, mais clairvoyant, courageux, nourrissant une absolue confiance en son Dieu (v. 1121). Puis il découvre un autre aspect : l'illuminé : v. 1129 à 1132.
- **Mise en scène** d'après G. Le Roy — « L'attaque de la symphonie doit être très douce. Tout ce qui ressemblerait à de la musique d'opéra doit être écarté a priori. C'est une rosée céleste qui trouve son *répons* dans les trois vers de Joad (1139-1141).

  » Sur la réplique : *Le Seigneur se réveille* (v. 1141), tous les personnages se prosternent, à l'exception des lévites qui sont au centre du praticable. Les autres lévites s'agenouillent, coudes au corps, têtes baissées et les deux mains en visière au-dessus des yeux. C'est une attitude spécifiquement juive.

  » Au même moment, toutes les femmes s'allongent comme des épis fauchés [...] Le metteur en scène veillera à ce que l'ensemble de ces mouvements soit fait soudainement mais sans brutalité et sans trop de bruit. Il se rendra aisément compte que, pour obtenir cette impression recherchée de profils perdus, les corps doivent être bien allongés, suivant la ligne du bras. Josabet naturellement, fait le mouvement avec toutes.

  » Au-dessus de ce peuple prosterné, Joad, aidé d'une symphonie grave et sobre, n'a plus qu'à voir les images qu'indique le poète en respectant l'admirable richesse de ses rythmes. »
- **La langue et le vers.**
  ① Rapprochez le vers 1109 des vers 299 et 300.
  ② Pourquoi la périphrase : *la tribu sainte* (v. 1104)? Pourquoi le rejet hautain des vers 1107-1108? Dites en quoi consiste l'exacte symétrie du vers 1139. Pourquoi la musicalité des vers 1144-1145 est-elle expressive? Étudiez les rythmes et les rimes des vers 1152-1156.

JOAD.   — Cieux, écoutez ma voix[1]. Terre, prête l'oreille.
1140 Ne dis plus, ô Jacob[2], que ton Seigneur sommeille.
Pécheurs, disparaissez : le Seigneur se réveille[3].

(Ici recommence la symphonie, et Joad aussitôt reprend la parole.)

Comment en un plomb vil[4] l'or pur[5] s'est-il changé?
Quel est dans le lieu saint ce pontife[6] égorgé?
Pleure, Jérusalem, pleure, cité perfide,
Des prophètes divins malheureuse homicide.
De son amour pour toi ton Dieu s'est dépouillé.
Ton encens à ses yeux est un encens souillé[7].
     Où menez-vous ces enfants et ces femmes[8]?
Le Seigneur a détruit la reine des cités.
1150 Ses prêtres sont captifs, ses rois sont rejetés[9].
Dieu ne veut plus qu'on vienne à ses solennités.
Temple, renverse-toi; cèdres, jetez des flammes.
    Jérusalem, objet de ma douleur,
Quelle main en un jour t'a ravi tous tes charmes?
Qui changera mes yeux en deux sources de larmes
     Pour pleurer ton malheur[10]?

AZARIAS.   —O saint temple !

JOSABET.   —   O David !

LE CHŒUR.   —   *Dieu de Sion, rappelle[11],*
Rappelle en sa faveur[12] tes antiques bontés.

(La symphonie recommence encore, et Joad, un moment après, l'interrompt.)

JOAD.   Quelle Jérusalem nouvelle[13]
1160 Sort du fond du désert brillante de clartés,
Et porte sur le front une marque immortelle[14]?
     Peuples de la terre, chantez.
Jérusalem renaît plus charmante[15] et plus belle.
     D'où lui viennent de tous côtés
Ces enfants qu'en son sein elle n'a point portés[16]?
Lève, Jérusalem, lève ta tête altière.

---

1. Voir la Préface p. 31 : cette prophétie, bien que tirée de l'Écriture, est cependant très originale. — 2. Métonymie : ô race de Jacob. — 3. Voir *Deutéronome*, XXXII, 1; et Isaïe, I, 2, *Psaume* LXVIII, 2 et 3. — 4. Voir *les Lamentations*, IV, 1. — 5. « Joas » (note de Racine). — 6. « Zacharie » (note de Racine). — 7. « Ne continuez pas à amener des oblations vaines! L'encens est pour moi une abomination. » Isaïe, I, 13. — 8. « Captivité de Babylone » (note de Racine); le peuple juif, vaincu par Nabuchodonosor, fut emmené en captivité à Babylone, où il resta 70 ans. — 9. Voir *les Lamentations*, I, 1. — 10. Voir *Jérémie*, VIII, 23. — 11. Fais revenir. — 12. En faveur de Sion. — 13. « L'Église » (note de Racine). — 14. Voir *Apocalypse*, XXI, 2. — 15. Pleine d'un attrait magique. — 16. « Les gentils » (note de Racine); c'est-à-dire ceux qui ne descendaient pas de Jacob.

Regarde tous ces rois de ta gloire étonnés[1].

Les rois des nations, devant toi prosternés,

De tes pieds baisent la poussière[2];

1170 Les peuples à l'envi marchent à ta lumière[3].

Heureux qui pour Sion d'une sainte ferveur

Sentira son âme embrasée !

Cieux, répandez votre rosée,

Et que la terre enfante son Sauveur[4].

JOSABET. — Hélas ! d'où nous viendra cette insigne faveur,

Si les rois de qui doit descendre ce Sauveur...

JOAD. — Préparez, Josabet, le riche diadème

Que sur son front sacré David porta lui-même.

(Aux lévites.)

Et vous, pour vous armer, suivez-moi dans ces lieux

1180 Où se garde[5] caché, loin des profanes yeux,

Ce formidable amas[6] de lances et d'épées

Qui du sang philistin jadis furent trempées,

Et que David vainqueur, d'ans et d'honneurs chargé,

Fit consacrer au Dieu qui l'avait protégé.

Peut-on les employer pour un plus noble usage?

Venez, je veux moi-même en faire le partage.

---

1. Voir le v. 1043. — 2. Voir *Isaïe*, XLII, 23. — 3. Éclairés par toi. — 4. Voir *Isaïe*, XLX, 8. — 5. Est gardé. — 6. Voir *Rois*, II, XI, 10.

- **Le cantique d'allégresse et l'action** — Ce chant de triomphe (v. 1159-1174) imprime un élan nouveau au drame en soufflant dans les cœurs l'allégresse et l'enthousiasme.

- **Mise en scène** d'après G. Le Roy — « De cet écho que peut évoquer la prière des siècles, la harpe surgit. C'est elle qui, maintenant, va soutenir l'exaltation du Grand Prêtre, la vision certaine qu'il a du triomphe divin, et — par-delà le temps — l'enfantement de Jésus-Christ (v. 1174). » On se rendra compte ici, comme dans toute la tragédie, de l'incomparable collaboration que Jean-Sébastien Bach peut apporter à Jean Racine. Soutenu par les accords de la harpe seule, Joad est arrivé au terme de sa vision surhumaine. Littéralement, le ciel a visité la terre, mais les forces physiques de l'homme sont comme épuisées après le dernier vers, il chancelle. Azarias et Ismaël, qui se trouvent derrière lui, s'avancent et le soutiennent. La musique a cessé. »

- **La langue et le vers**

  ① Montrez comment Racine a adapté les images bibliques et les a organisées en une vision allégorique.

  ② A propos du vers 1181, M. Douady écrit : « Admirons au passage ce vers signé Hugo; de pareils abondent dans *Athalie*. » Citez-en d'autres.

SCÈNE VIII. — SALOMITH[1], LE CHŒUR.

SALOMITH. — *Que de craintes, mes sœurs, que de troubles mortels!*
Dieu tout-puissant, sont-ce là les prémices[2],
Les parfums et les sacrifices
1190 *Qu'on devait en ce jour offrir sur tes autels?*

UNE FILLE DU CHŒUR.

Quel spectacle à[3] nos yeux timides[4]!
Qui l'[5]eût cru, qu'on dût voir jamais
Les glaives meurtriers, les lances homicides
Briller dans la maison de paix?

UNE AUTRE.

D'où vient que, pour son Dieu pleine d'indifférence[6],
Jérusalem se tait en ce pressant danger?
D'où vient, mes sœurs, que pour nous protéger
Le brave[7] Abner au moins ne rompt pas le silence?

SALOMITH. — *Hélas! dans une cour où l'on n'a d'autres lois*
1200 *Que la force et la violence,*
Où les honneurs et les emplois
Sont le prix d'une aveugle et basse obéissance,
Ma sœur, pour[8] la triste innocence[9]
Qui voudrait élever sa[10] voix?

UNE AUTRE.

Dans ce péril, dans ce désordre extrême[11],
Pour qui prépare-t-on le sacré diadème?

SALOMITH. — *Le Seigneur a daigné parler.*
Mais ce qu'à son prophète il vient de révéler,
Qui pourra nous le faire entendre[12]?
1210 *S'arme-t-il pour nous défendre?*
S'arme-t-il pour nous accabler?

TOUT LE CHŒUR chante.

O promesse! ô menace! ô ténébreux mystère!
Que de maux, que de biens sont prédits tour à tour!
Comment peut-on avec tant de colère
Accorder[13] tant d'amour?

---

1. Sur le rôle de Salomith dans le Chœur, voir la Préface p. 31, l. 124-128. — 2. Voir le v. 11. — 3. Pour. — 4. Voir le v. 872. — 5. L', pronom neutre, annonce la proposition subordonnée qui suit. — 6. Cette strophe a paru pour la première fois dans l'édition de 1692. — 7. Voir le v. 199. — 8. En faveur de. — 9. Voir les v. 227, 570, 629, 775, 790, 1439 et 1602. — 10. La voix; le XVIIᵉ s. employait souvent l'adjectif possessif au lieu de l'article défini. — 11. Accord de l'adjectif, selon l'usage latin, avec le dernier mot. — 12. Comprendre. — 13. Concilier.

UNE VOIX, seule.

Sion ne sera plus. Une flamme cruelle
Détruira tous ses ornements.

UNE AUTRE VOIX.

Dieu protège Sion. Elle a pour fondements
Sa parole éternelle.

LA PREMIÈRE.

1220 *Je vois tout son éclat disparaître à mes yeux.*

LA SECONDE.

Je vois de toutes parts sa clarté répandue.

LA PREMIÈRE.

Dans un gouffre profond Sion est descendue.

LA SECONDE.

Sion a son front dans les cieux.

LA PREMIÈRE.

Quel triste abaissement!

LA SECONDE.

Quelle immortelle gloire!

LA PREMIÈRE.

Que de cris de douleur!

LA SECONDE.

Que de chants de victoire[1]!

UNE TROISIÈME.

Cessons de nous troubler. Notre Dieu quelque jour
Dévoilera ce grand mystère.

TOUTES TROIS

Révérons sa colère;
Espérons en son amour[2].

UNE AUTRE.

1230 *D'un cœur qui t'aime,*
Mon Dieu, qui peut troubler la paix?
Il cherche en tout ta volonté suprême,
Et ne se cherche jamais.
Sur la terre, dans le ciel même,
Est-il d'autre bonheur que la tranquille paix
D'un cœur qui t'aime?

---

1. On a rapproché ces vers de la fin de la scène 3 de l'acte IV de *Polyeucte :* « PAULINE. Imaginations! POLYEUCTE. Célestes vérités! PAULINE. Étrange aveuglement! POLYEUCTE. Éternelles clartés. » — 2. « Ces deux vers développés dans le chœur (IV, 6, v. 1468-1471) et rappelés dans l'opposition finale (*juge sévère-père*, v. 1815-1816) résument parfaitement l'idée que Port-Royal se faisait de la vie chrétienne » (J. Orcibal).

ACTE IV

Scène première. — JOAS, JOSABET, ZACHARIE,
SALOMITH, Un Lévite, Le Chœur.

SALOMITH. — D'un pas majestueux, à côté de ma mère,
Le jeune Éliacin s'avance avec mon frère.
Dans ces voiles, mes sœurs, que portent-ils tous deux?
1240 Quel est ce glaive enfin qui marche devant eux?

JOSABET, *à Zacharie*.
— Mon fils, avec respect posez sur cette table
De notre sainte loi le livre redoutable[1].
Et vous aussi, posez, aimable Éliacin,
Cet auguste bandeau[2] près du livre divin.
Lévite, il faut placer, Joad ainsi l'ordonne,
Le glaive de David auprès de sa couronne.

JOAS. — Princesse, quel est donc ce spectacle nouveau?
Pourquoi ce livre saint, ce glaive, ce bandeau?
Depuis que le Seigneur m'a reçu dans son temple,
1250 D'un semblable appareil[3] je n'ai point vu d'exemple.

JOSABET. — Tous vos doutes, mon fils, bientôt s'éclairciront[4].

JOAS. — Vous voulez essayer ce bandeau sur mon front?
Ah! Princesse, gardez[5] d'en profaner la gloire.
Du roi qui l'a porté respectez la mémoire.
Un malheureux enfant aux ours abandonné...

JOSABET, *lui essayant le diadème*.
— Laissez, mon fils : je fais ce qui m'est ordonné.

JOAS. — Mais j'entends les sanglots sortir de votre bouche!
Princesse, vous pleurez! Quelle pitié vous touche?
Est-ce qu'en holocauste aujourd'hui présenté,
1260 Je dois, comme autrefois la fille de Jephté[6],
Du Seigneur par ma mort apaiser la colère?
Hélas! un fils n'a rien qui ne soit à son père[7].

JOSABET. — Voici qui[7] vous dira les volontés des Cieux.
Ne craignez rien. Et nous, sortons tous de ces lieux.

---

1. Parce qu'il représente la volonté de Dieu. —2. Diadème sacré. —3. Préparatifs solennels. — 4. Seront dissipés. — 5. Prenez garde. — 6. Voir *les Juges*, XI, 30 à 34; Jephté, chef d'Israël durant la guerre contre les Ammonites, avait fait le vœu à Jahvé de lui sacrifier la première personne qui viendrait à sa rencontre. Ce fut sa fille unique qui, ayant appris le vœu paternel, s'offrit elle-même en sacrifice. Voir aussi le poème de Vigny : « la Fille de Jephté ». — 7. Voir les v. 649-650. — 8. Celui qui, c'est-à-dire Joad.

Scène II. — JOAD, JOAS.

JOAS, *courant dans les bras du grand prêtre.*
   — Mon père !

JOAD.   —   Hé bien, mon fils ?

JOAS.   —   Qu'est-ce donc qu'on prépare ?

JOAD.   — Il est juste, mon fils, que je vous le déclare[1].
       — Il faut que vous soyez instruit, même avant tous,
          Des grands desseins de Dieu sur son peuple et sur vous.
          Armez-vous d'un courage et d'une foi nouvelle[2].
1270   Il est temps de montrer cette ardeur et ce zèle
          Qu'au fond de votre cœur mes soins ont cultivés,
          Et de payer[3] à Dieu ce que vous lui devez.
          Sentez-vous cette noble et généreuse[4] envie ?

JOAS.   — Je me sens prêt, s'il veut, de[5] lui donner ma vie.

JOAD.   — On vous a lu souvent l'histoire de nos rois.
          Vous souvient-il, mon fils, quelles étroites[6] lois
          Doit s'imposer un roi digne du diadème ?

JOAS.   — Un roi sage, ainsi Dieu l'a prononcé[7] lui-même,
          Sur la richesse et l'or ne met point son appui,
1280   Craint le Seigneur son Dieu, sans cesse a devant lui
          Ses préceptes, ses lois, ses jugements sévères,
          Et d'injustes[8] fardeaux n'accable point ses frères.

JOAD.   — Mais sur l'un de ces rois s'il fallait vous régler,
          A qui choisiriez-vous, mon fils, de ressembler ?

JOAS.   — David, pour le Seigneur plein d'un amour fidèle,
          Me paraît des grands rois le plus parfait modèle[9].

JOAD.   — Ainsi dans leurs excès vous n'imiteriez pas
          L'infidèle Joram, l'impie Ochosias[10] ?

JOAS.   — O mon père !

JOAD.   —   Achevez, dites, que vous en semble ?

---

1. Le fasse connaître. — 2. Accord, régulier au xviie s., avec le nom le plus rapproché. — 3. Ce mot, selon Dieuzéide, est tout à fait conforme à l'esprit de la religion juive. Les relations qui unissaient Dieu, protecteur d'Israël, aux Israélites avaient la rigueur d'un contrat. Renan appelle le Judaïsme « la religion du prête-rendu ». — 4. Digne d'une noble race. — 5. Prêt à. — 6. Rigoureuses. — 7. Déclaré. « *Deut. c.* » (note de Racine). — 8. Excessifs. — 9. Voir Bossuet, *Politique*, LX, 4. — 10. Voir la Préface p. 29, l. 53-54.

JOAS. ⎯¹²⁹⁰ Puisse périr comme eux quiconque leur ressemble !
  Mon père, en quel état vous vois-je devant moi ?

JOAD, *se prosternant à ses pieds*[1].

  — Je vous rends le respect que je dois à mon roi.
  De votre aïeul David, Joas, rendez-vous digne.

JOAS. — Joas ? Moi ?

JOAD. —   Vous saurez par quelle grâce insigne,
  D'une mère en fureur[2] Dieu trompant le dessein,
  Quand déjà son poignard était dans votre sein,
  Vous choisit, vous sauva du milieu du carnage[3].
  Vous n'êtes pas encore échappé de sa rage[4].
  Avec la même ardeur qu'elle voulut[5] jadis
  ¹³⁰⁰ Perdre en vous le dernier des enfants de son fils,
  A vous faire périr sa cruauté s'attache,
  Et vous poursuit encor sous le nom qui vous cache.
  Mais sous vos étendards j'ai déjà su ranger
  Un peuple obéissant[6] et prompt à[7] vous venger.
      Entrez, généreux[8] chefs des familles sacrées,
  Du ministère saint tour à tour[9] honorées.

Scène III. — JOAS, JOAD, AZARIAS, ISMAËL,
ET LES TROIS AUTRES CHEFS DES LÉVITES.

JOAD *continue*.

  — Roi, voilà vos vengeurs contre vos ennemis.
  Prêtres, voilà le roi que je vous ai promis.

AZARIAS. — Quoi ? c'est Éliacin ?

ISMAËL. —   Quoi ? cet enfant aimable...

JOAD. ⎯¹³¹⁰ Est des rois de Juda l'héritier véritable,
  Dernier né des enfants du triste Ochosias,
  Nourri[10], vous le savez, sous le nom de Joas.
  De cette fleur si tendre et sitôt moissonnée[11]
  Tout Juda, comme vous, plaignant la destinée,
  Avec ses frères morts le crut enveloppé.
  Du perfide couteau comme eux il fut frappé.
  Mais Dieu du coup mortel sut détourner l'atteinte,
  Conserva dans son cœur la chaleur presque éteinte,

---

1. Racine s'est inspiré de la Bible, mais c'est ainsi qu'on se prosternait devant Louis XIV.—
2. Athalie, sa grand-mère ; voir les v. 243 et suiv. — 3. Voir le v. 1454. — 4. Voir les v.
1333 et 1455. — 5. Avec laquelle elle voulut. — 6. La *tribu sainte* de Lévi : voir le v. 1104. —
7. Disposé à. — 8. De noble race. — 9. Voir la Préface p. 29 ; les Lévites exerçaient leur
ministère par semaines. — 10. Élevé. — 11. Voir *Le Livre de Job*, XIV, 2.

Permit que, des bourreaux trompant l'œil vigilant,
1320 Josabet dans son sein l'emportât tout sanglant,
Et n'ayant de son vol que moi seul pour complice,
Dans le temple cachât l'enfant et la nourrice.

∎∎

- **Le couronnement privé** (IV, 1) — Joad, pressé par le temps, a décidé de couronner Joas très rapidement. Avant de procéder à cette cérémonie solennelle, il en fait faire une « répétition ». Il y a deux parties dans cette scène : la mise en scène (v. 1237-1250) ; « le couronnement privé » (1251 à la fin).

  ① Joad est absent, c'est pourtant lui qui dirige. A quoi reconnaît-on, dans cette scène, son imagination ? Pourquoi veut-il qu'on procède à cette répétition avant le couronnement officiel ? Quels sentiments le poussent ? Pourquoi veut-il que ce soit Josabet qui pose la couronne sur le front de l'enfant (v. 1256) ?

  ② Commentez ce jugement de J. Vianey : « La mise en scène combinée par Joad — et où l'on retrouve tous les traits de son caractère — a produit tout l'effet qu'il en attendait : elle a suscité la curiosité de l'enfant ; elle l'a rempli d'un respect religieux pour la couronne qu'il va ceindre ; elle l'a ému d'une douce pitié pour sa mère adoptive ; elle lui a inspiré une vénération profonde envers Dieu. »

- **La métamorphose** (IV, 2) — Éliacin devient Joas. Beaucoup de critiques ont prétendu que l'« examen » de Joas par le grand prêtre était puéril et inutile, le candidat étant dans une situation telle que, même s'il répond mal, il ne peut pas être refusé. D'autres prétendent, avec J. Vianey, que l'examen est indispensable pour plusieurs raisons :
  — Il permet à Joad de donner à Éliacin des preuves rapides mais suffisamment précises de son origine royale ;
  — de lui définir les devoirs de la royauté ;
  — de lui faire maudire les noms de son grand-père et de son père avant qu'il ne sache qu'il a leur sang dans ses veines.
  — Ajoutons que cet interrogatoire était conforme à l'usage des Hébreux.

- **« Athalie » et l'actualité** — On a pu dire que cette scène évoque Bossuet et son élève le dauphin. Joad se prosterne aux pieds de Joas comme on se prosternait devant Louis XIV.

- **Le dernier né des enfants d'Ochosias** (v. 1311-1322) — En présentant leur roi aux chefs des lévites, Joad emploie, à propos de Joas, une périphrase chargée de sens : *dernier né des enfants du triste Ochosias*. Il veut dire par là que Dieu est tout-puissant puisqu'il a sauvé le dernier né des enfants d'Ochosias, le plus faible et donc condamné à périr le plus vite. En évoquant le perfide couteau d'Athalie et les bourreaux, Joad remplit les lévites de haine envers la meurtrière et de pitié envers le jeune roi.

  ③ Commentez ce jugement de J. Vianey : « Pénétrant psychologue, incomparable manieur d'hommes, le grand prêtre tient à chacun le langage qui lui convient. »

∎∎

JOAS. — Hélas ! de tant d'amour et de tant de bienfaits,
Mon père, quel moyen de m'acquitter jamais?

JOAD. — Gardez pour d'autres temps cette reconnaissance.
Voilà donc votre roi, votre unique espérance[1].
J'ai pris soin jusqu'ici de vous le conserver :
Ministres du Seigneur, c'est à vous d'achever.
1330 Bientôt de Jézabel la fille meurtrière,
Instruite que Joas voit encor la lumière,
Dans l'horreur du tombeau viendra le replonger.
Déjà, sans le connaître, elle veut l'égorger.
Prêtres saints, c'est à vous de prévenir[2] sa rage[3].
Il faut finir[4] des Juifs le honteux esclavage,
Venger vos princes morts, relever votre loi,
Et faire aux deux tribus[5] reconnaître leur roi.
L'entreprise, sans doute[6], est grande et périlleuse[7].
J'attaque sur son trône une reine orgueilleuse,
1340 Qui voit sous ses drapeaux marcher un camp nombreux
De hardis étrangers[8], d'infidèles Hébreux.
Mais ma force est au[9] Dieu dont l'intérêt me guide.
Songez qu'en cet enfant tout Israël réside.
Déjà ce Dieu vengeur commence à la troubler;
Déjà trompant ses soins[10], j'ai su vous rassembler.
Elle nous croit ici sans armes, sans défense.
Couronnons, proclamons Joas en diligence.
De là, du nouveau prince intrépides soldats,
Marchons, en invoquant l'arbitre des combats;
1350 Et réveillant la foi dans les cœurs endormie,
Jusque dans son palais cherchons notre ennemie.
Et quels cœurs si plongés dans un lâche sommeil,
Nous voyant avancer dans ce saint appareil[11],
Ne s'empresseront pas à[12] suivre notre exemple?
Un roi[13] que Dieu lui-même a nourri dans son temple,
Le successeur d'Aaron de ses prêtres suivi,

---

1. Louis Racine atteste qu'à la représentation du 30 mars 1716 on ne « pouvait entendre ce vers sans s'attendrir sur Louis XV, alors âgé de six ans ». Mais M. Orcibal note qu'en 1691, seul l'enfant de Saint-Germain, c'est-à-dire le fils de Jacques II d'Angleterre, pouvait susciter les mêmes sentiments. — 2. Devancer. — 3. Voir les v. 1298 et 1453. — 4. Mettre un terme à. — 5. Benjamin et Juda. — 6. Sans nul doute. — 7. Les vers 1337 et 1350 ne correspondent à rien dans *le Livre des Rois*, d'après lequel Joad reste dans le temple, sur la défensive. — 8. Le mot est exact, les mercenaires de l'armée d'Athalie ne font que camper dans une ville qui leur est devenue étrangère. — 9. Dans le. — 10. Ses précautions. — 11. Saint cortège; les vers 1354 à 1358 montrent la composition de ce cortège. — 12. Ne s'empresseront pas de. — 13. Joas.

Conduisant au combat les enfants de Lévi,
Et dans ces mêmes mains des peuples révérées,
Les armes au Seigneur par David consacrées[1]?
Dieu sur ses ennemis répandra sa terreur.
1360 Dans l'infidèle sang baignez-vous sans horreur.
Frappez et Tyriens, et même Israélites[2].
Ne descendez-vous pas de ces fameux[3] lévites
Qui lorsqu'au Dieu du Nil[4] le volage[5] Israël
Rendit dans le désert un culte criminel,
De leurs plus chers parents saintement homicides[6],
Consacrèrent leurs mains dans le sang des perfides[7],
Et par ce noble exploit vous acquirent l'honneur
D'être seuls employés aux autels du Seigneur[8]?
     Mais je vois [9] que déjà vous brûlez de me suivre.
1370 Jurez donc, avant tout, sur cet auguste livre[10],
A ce roi que le Ciel vous redonne aujourd'hui,
De vivre, de combattre, et de mourir pour lui.

---

1. Voir le v. 1179. — 2. « Athalie était issue d'une Israélite et d'une Tyrienne, Guillaume est fils du Stadhouder et d'une Anglaise. Tyr signifie donc Hollande. Nous en sommes d'autant plus sûr que Racine lui-même appellera Carthaginois les orangistes anglais » (J. Orcibal). — 3. De glorieuse mémoire. — 4. Le veau d'or qu'Aaron édifia dans le désert, à la prière des Hébreux : ils lui demandaient de leur faire des Dieux qui allassent devant eux. — 5. Infidèle. — 6. Expression de Sophocle (*Antigone*, v. 74). — 7. Traîtres à leur foi. — 8. « Les enfants de Lévi se rassemblèrent autour de Moïse qui leur dit : *Mettez chacun l'épée à la hanche! Passez et repassez de porte en porte dans le camp, tuez, qui son frère, qui son compagnon, qui son proche.* Les fils de Lévi agirent selon la parole de Moïse et il tomba du peuple, en ce jour, environ trois mille hommes » (*Exode*, XXXII, 26 à 29). — 9. L'expression se trouve dans *Britannicus* (IV, v. 1381) : « *Mais je vois* que mes pleurs touchent mon empereur. » — 10. Voir le v. 1242.

- **La harangue de Joad** — Elle se divise en deux grandes parties : v. 1326-1350; 1351-1368.
  Elle présente toutes les divisions d'un discours : exorde, énoncé du but; moyen à employer; réfutation de l'objection; péroraison.
  ① Retrouvez les subdivisions correspondant aux différentes parties du discours; recherchez les intentions de l'orateur dans la disposition des subdivisions et l'importance donnée à chacune d'elles.
  ② Que pensez-vous du plan stratégique de Joad? Qu'est-ce qui rend l'entreprise particulièrement périlleuse?
  ③ Dans quel vers se manifeste le fanatisme de Joad?
  ④ Comment Joad agit-il sur l'imagination et la sensibilité de ses auditeurs? Use-t-il d'arguments ou de tableaux?
- **« Athalie » et l'actualité** — Le serment par lequel Joad demande aux lévites de se lier ressemble étrangement au serment de fidélité que les officiers prêtaient au roi de France.

AZARIAS. — Oui, nous jurons ici pour nous, pour tous nos frères,
De rétablir Joas au[1] trône de ses pères,
De ne poser[2] le fer entre nos mains remis,
Qu'après l'avoir vengé de tous ses ennemis.
Si quelque transgresseur enfreint cette promesse,
Qu'il éprouve, grand Dieu, ta fureur vengeresse :
Qu'avec lui ses enfants, de ton partage exclus[3],
1380 Soient au rang de ces morts que tu ne connais plus.

JOAD. — Et vous, à cette loi, votre règle éternelle,
Roi, ne jurez-vous pas d'être toujours fidèle?

JOAS. — Pourrais-je[4] à cette loi ne me pas conformer?

JOAD. — O mon fils, de ce nom j'ose encor vous nommer,
Souffrez cette tendresse, et pardonnez aux larmes
Que m'arrachent pour vous de trop justes alarmes.
Loin du trône nourri[5], de ce fatal honneur,
Hélas! vous ignorez le charme empoisonneur[6].
De l'absolu pouvoir vous ignorez l'ivresse,
1390 Et des lâches flatteurs la voix enchanteresse.
Bientôt ils vous diront que les plus saintes lois,
Maîtresses du vil peuple, obéissent aux rois;
Qu'un roi n'a d'autre frein que sa volonté même;
Qu'il doit immoler tout à sa grandeur suprême;
Qu'aux larmes, au travail, le peuple est condamné,
Et d'un sceptre de fer veut être[7] gouverné;
Que s'il n'est opprimé, tôt ou tard il opprime.
Ainsi de piège en piège, et d'abîme en abîme,
Corrompant de vos mœurs[8] l'aimable pureté,
1400 Ils vous feront enfin haïr la vérité,
Vous peindront la vertu sous une affreuse image.
Hélas! ils ont des rois égaré le plus sage[9].
Promettez sur ce livre, et devant ces témoins,
Que Dieu fera toujours le premier de vos soins[10];
Que sévère aux[11] méchants[12], et des bons le refuge,
Entre le pauvre et vous, vous prendrez Dieu pour juge,

---

1. Sur le. — 2. Déposer. — 3. Exclus du nombre de ses élus. — 4. Sur le sens du conditionnel, voir le v. 654. — 5. Élevé. — 6. La séduction magique. — 7. A besoin d'être. — 8. De votre caractère. — 9. Salomon. — 10. Que Dieu sera votre première préoccupation. — 11. Pour les. — 12. « Jusques à quand jugerez-vous uniquement et aurez-vous des égards pour les méchants? Jugez en faveur du faible et de l'orphelin, rendez justice au malheureux et au pauvre! » (*Psaume* LXXXII, 3).

Vous souvenant, mon fils, que caché sous ce lin[1],
Comme eux[2] vous fûtes pauvre, et comme eux orphelin[3].

JOAS.   — Je promets d'observer ce que la loi m'ordonne.
1410 Mon Dieu, punissez-moi si je vous abandonne.

JOAD.   — Venez : de[4] l'huile sainte il faut vous consacrer.
Paraissez, Josabet : vous pouvez vous montrer.

---

1. — Voir le v. 390. — 2. Il y a ici une syllepse, l'accord se fait avec l'idée collective contenue dans le nom *pauvre* (v. 1406). — 3. Voir les v. 227 et 667. — 4. Avec l'huile sainte.

▪▪

- **Le souverain idéal selon Racine** — Quelle métamorphose! Après sa harangue implacablement meurtrière, Joad est redevenu un homme et d'abord un père sensible qui dit à l'oreille de son fils des mots d'intimité; puis un éducateur qui donne une leçon de prévoyance, de sagesse et d'humanité à ce jeune homme qui va régner sans contrôle et sans partage (v. 1391-1401); en dernier lieu, c'est le grand prêtre qui parle.
A propos des vers 1389-1396, François Mauriac écrit : « Au quatrième acte, Joad fait un cours bien imprudent sur la fonction royale [...] Il est impossible que Louis XIV n'ait pas été, le premier, dressé l'oreille d'autant qu'il savait que son historiographe avait partie liée avec les Jansénistes. Sans doute lui donne-t-il le titre de gentilhomme ordinaire; il avait accoutumé de laisser les gens s'enfermer; et le terrible de ses disgrâces, c'est qu'il les avait longuement mûries. Louis XIV n'aimait pas que les gens de Lettres et d'Église appliquassent leur esprit ou leur vertu à la réforme de l'État. »
  ① Comparez ce que dit Racine sur les courtisans avec les écrits de ses contemporains : La Bruyère (*Caractères :* « du Souverain et de la République »); Fénelon (*Télémaque* et lettre à Louis XIV); Bossuet (IVᵉ *Sermon sur les devoirs des rois*); La Rochefoucauld; Saint-Simon, La Fontaine.
  ② Commentez cette réflexion de Louis XIV sur Racine, rapportée par François Mauriac : « Parce qu'il sait faire parfaitement des vers, croit-il tout savoir? Et parce qu'il est grand poète, veut-il être ministre? »
  ③ Comparez la leçon que Joad donne au roi avec les arguments développés par Mathan sur le gouvernement des rois.

- **L'hérédité** — Deux fois déjà (à l'acte I, v. 283-286; et au cours de la prophétie : v. 1142 et 1143), Joad a exprimé la crainte que Joas ne devienne, selon l'expression de d'Alembert, « un méchant garnement ». Cette angoisse apparaîtra au vers 1416 une nouvelle fois :
    Enfants, ainsi toujours puissiez-vous être unis!
Souhait pathétique car Joad avait prophétisé (v. 1143) le meurtre de Zacharie par son *frère* Joas.
Selon Lucien Dubech, si Racine insiste tant sur le « pressentiment », c'est qu'il a été « hanté » par le problème de l'hérédité : voir à ce sujet *Phèdre et Britannicus.*

▪▪

SCÈNE IV. — JOAS, JOAD, JOSABET, ZACHARIE,
AZARIAS, ETC., SALOMITH, LE CHŒUR.

JOSABET, *embrassant Joas.*
            — O Roi, fils de David !

JOAS.   —   O mon unique mère !
            Venez, cher Zacharie, embrasser votre frère.

JOSABET, *à Zacharie.*
            — Aux pieds de votre roi prosternez-vous, mon fils.

JOAD, *pendant qu'ils s'embrassent.*
            — Enfants, ainsi toujours puissiez-vous être unis !

JOSABET, *à Joas.*
            — Vous savez donc quel sang vous a donné la vie?

JOAS.   — Et je sais quelle main sans vous me l'eût ravie.

JOSABET. — De votre nom, Joas, je puis donc vous nommer,

JOAS.   ¹⁴²⁰ Joas ne cessera jamais de vous aimer.

LE CHŒUR. — Quoi? c'est là...

JOSABET. —   C'est Joas.

JOAD.   —   Écoutons ce lévite.

SCÈNE V. — JOAS, JOSABET, JOAD, ETC., UN LÉVITE.

UN LÉVITE. —
            J'ignore contre Dieu quel projet on médite.
            Mais l'airain menaçant[1] frémit de toutes parts;
            On voit luire des feux parmi des étendards;
            Et sans doute Athalie assemble son armée.
            Déjà même au secours toute voie est fermée;
            Déjà le sacré mont, où[2] le temple est bâti,
            D'insolents Tyriens[3] est partout investi.
            L'un d'eux, en blasphémant, vient de nous faire entendre[4]
      ¹⁴³⁰ Qu'Abner est dans les fers, et ne peut nous défendre.

JOSABET, *à Joas.*
            — Cher enfant, que le Ciel en vain m'avait rendu,
            Hélas ! pour vous sauver, j'ai fait ce que j'ai pu.
            Dieu ne se souvient plus de David votre père[5].

---

1. Le bruit des armes qui s'entrechoquent, et non le son de la trompette. — 2. Sur lequel. — 3. Voir les v. 219 et 616. — 4. Comprendre. — 5. Votre ancêtre.

ЭAD, *à Josabet.*

— Quoi? vous ne craignez pas d'attirer sa colère
Sur vous et sur ce roi si cher à votre amour?
Et quand Dieu, de vos bras l'arrachant sans retour,
Voudrait que de David la maison fût éteinte,
N'êtes-vous pas ici sur la montagne sainte
Où le père des Juifs[1] sur son fils innocent[2]
1440 Leva sans murmurer un bras obéissant,
Et mit sur un bûcher ce fruit de sa vieillesse[3],
Laissant à Dieu le soin d'accomplir sa promesse,
Et lui sacrifiant, avec ce fils aimé,
Tout l'espoir de sa race, en lui seul renfermé?
      Amis, partageons-nous. Qu'Ismaël en[4] sa garde
Prenne tout le côté que l'orient regarde;
Vous, le côté de l'ourse[5]; et vous, de l'occident;
Vous, le midi. Qu'aucun, par un zèle imprudent,
Découvrant mes desseins, soit prêtre, soit lévite,
1450 Ne sorte avant le temps, et ne se précipite;
Et que chacun enfin, d'un même esprit poussé,
Garde en mourant le poste où je l'aurai placé.

---

1. « Abraham » (note de Racine). — 2. Voir les v. 227, 570, 629, 775, 790, 1203 et
902. — 3. Abraham avait plus de cent ans quand naquit son fils Isaac. — 4. Sous. —
Le nord.

- **La scène 4** — Elle nous montre une famille juive groupée autour de
  Joad; mais n'est-ce pas aussi le portrait d'une famille française du
  XVIIᵉ siècle et celui d'une famille de tous les temps?

- **La scène 5** — Le duel final commence. Deux mauvaises nouvelles :
  l'offensive militaire et l'emprisonnement d'Abner; cette fois-ci, le combat
  est bien engagé. Josabet perd contenance, ce qui lui vaut une apostrophe
  indignée de Joad (v. 1434-1445). Aucun exemple ne pouvait émouvoir
  davantage Josabet que celui d'Abraham dont Racine évoque, en quelques
  vers, la vie et le sacrifice.
  ① Montrez que les phrases brèves, péremptoires contribuent à accroître
  le mouvement et l'impression guerrière qui caractérisent l'ensemble
  de cette scène.

- **L'ordre du jour** — C'est le chef militaire qui parle. Les termes qu'il
  emploie (v. 1450-1452) apparaissent dans les ordres du jour des grandes
  batailles de 1914-1918 et 1939-1940 : « ... garder le terrain conquis
  et se faire tuer sur place plutôt que de reculer ».
  ② Que pensez-vous de ce rapprochement de Boileau (*Réflexions critiques*)
  comparant « l'intrépidité plus qu'héroïque de Joad » à celle des héros
  de Corneille?

L'ennemi nous regarde, en son aveugle rage,
Comme de vils troupeaux réservés au carnage[1],
Et croit ne rencontrer que désordre et qu'effroi.
Qu'Azarias partout accompagne le Roi.

(A Joas.)

Venez, cher rejeton d'une vaillante race,
Remplir vos défenseurs d'une nouvelle audace;
Venez du diadème à leurs yeux vous couvrir,
1460 Et périssez du moins en roi, s'il faut périr.
Suivez-le, Josabet.

(A un lévite.)

Vous, donnez-moi ces armes.
Enfants, offrez à Dieu vos innocentes larmes.

Scène VI. — SALOMITH, Le Chœur.

TOUT LE CHŒUR chante.

Partez, enfants d'Aaron, partez.
Jamais plus illustre querelle[2]
De vos aïeux n'arma le zèle.
Partez, enfants d'Aaron, partez.
C'est votre roi, c'est Dieu pour qui[3] vous combattez.

UNE VOIX, seule.

Où sont les traits que tu lances,
Grand Dieu, dans ton juste courroux?
1470 *N'es-tu plus le Dieu jaloux[4]?*
N'es-tu plus le Dieu des vengeances[5]?

UNE AUTRE.

Où sont, Dieu de Jacob, tes antiques bontés[6]?
Dans l'horreur qui nous environne,
N'entends-tu que la voix[7] de nos iniquités?
N'es-tu plus le Dieu qui pardonne?

TOUT LE CHŒUR.

Où sont, Dieu de Jacob, tes antiques bontés?

---

1. Voir les v. 1297, 1298, 1333, 1568, 1631-1632. — 2. Cause. — 3. C'est pour Dieu que.
4. Qui veut être adoré : voir « Tu ne te prosterneras pas devant eux et tu ne les servir pas. Car moi, Iahvé, ton Dieu, je suis un Dieu jaloux » (*l'Exode*, XX, 5). — 5. « Dieu d vengeances, Iahvé, Dieu des vengeances, apparais! » (*Psaume* XCIV). — 6. Pour ce ve et le précédent, voir les v. 1214-1215, 1228-1229 et 1815-1816. — 7. « Iahvé a entendu voix de mes pleurs » (*Psaume* VI, 9).

UNE VOIX, seule.

C'est à toi que dans cette guerre
Les flèches des méchants prétendent s'adresser[1].
      « Faisons, disent-ils, cesser[2]
1480   *Les fêtes de Dieu sur la terre.*
De son joug importun délivrons les mortels.
Massacrons tous ses saints[3]. Renversons ses autels.
      Que de son nom, que de sa gloire
      Il ne reste plus de mémoire;
Que ni lui ni son Christ[4] ne règnent plus sur nous. »

TOUT LE CHŒUR.

Où sont les traits que tu lances,
Grand Dieu, dans ton juste courroux?
N'es-tu plus le Dieu jaloux?
N'es-tu plus le Dieu des vengeances?

---

1. Se diriger contre. — 2. Voir *Psaume LXXIV*, 8 et 9. — 3. Ceux qui vivent selon sa ⁅; voir le v. 793. — 4. Mot grec signifiant *oint;* il peut désigner ici Joas, qui va être oint, ⁅ le Messie annoncé par les Prophètes.

- **Mise en scène** (selon G. Le Roy) « Pendant la reprise du chœur (v.1486-1489), deux jeunes filles se seraient détachées d'un des groupes du premier plan et se seraient jointes à celles qui étaient seules au centre. Ces deux jeunes filles diraient debout, comme la précédente, les deux strophes : 1490-1497 (la plus tendre de toutes) et 1498-1500. Les autres jeunes filles, sur le vers 1491, tomberaient à genoux sur place. Le son de la trompette, que l'on doit entendre piano d'abord puis crescendo dès la fin du vers 1501, provoque évidemment le désordre dans l'ensemble du tableau. »

① Étudiez les développements strophiques du chœur : 1468-1475; 1476-1489; 1490-1502.

② Commentez le jugement suivant de Thierry Maulnier : « Le brutal Racine trouve son bien dans la brutalité biblique. Aussi, il n'est pas une de ses tragédies où la rage, où la cruauté aient cette puissance, il n'en est pas où les êtres soient plus acharnés et plus durs, il n'en est pas où les grands accents de Racine atteignent aussi souvent à cette éclatante splendeur, puissante comme le tonnerre des orgues.

      La voix du Dieu vivant a ranimé ta cendre (v. 1497).
Nulle part il ne traite avec une telle largeur, un tel déploiement de sonorités, le rythme puissant de l'alexandrin. Les paroles semblent ici à la mesure de voix au-dessus de la terre. Le vers même est religieux dans *Athalie.* »

UNE VOIX, seule.

1490   *Triste reste de nos rois[1],*
Chère et dernière fleur d'une tige si belle,
Hélas! sous le couteau d'une mère cruelle
Te verrons-nous tomber une seconde fois?
Prince aimable, dis-nous si quelque ange[2] au berceau
Contre tes assassins prit soin de te défendre;
  Ou si dans la nuit du tombeau
La voix du Dieu vivant a ranimé ta cendre.

UNE AUTRE.

D'un père et d'un aïeul[3] contre toi révoltés,
Grand Dieu, les attentats lui sont-ils imputés[4]?
1500 *Est-ce que sans retour ta pitié l'abandonne?*

LE CHŒUR.

Où sont, Dieu de Jacob, tes antiques bontés?
  N'est-tu plus le Dieu qui pardonne?

UNE DES FILLES DU CHŒUR, *sans chanter.*

  — Chères sœurs, n'entendez-vous pas
Des cruels Tyriens la trompette qui sonne?

SALOMITH. — J'entends même les cris des barbares soldats,
  Et d'horreur j'en frissonne.
  Courons, fuyons; retirons-nous
  A l'ombre salutaire
  Du redoutable sanctuaire.

---

1. Voir le v. 1326. — 2. Ce mot appartient non pas à la Bible mais à la religion chrétienne. — 3. Ochosias et Joram. — 4. Sont-ils mis à son compte?

ACTE V

Scène première. — ZACHARIE, SALOMITH,
Le Chœur.

SALOMITH.-[1510] Cher Zacharie, hé bien ? que nous apprenez-vous[1] ?

ZACHARIE. — Redoublez au Seigneur votre ardente prière.
Peut-être nous touchons à notre heure dernière.
Pour l'horrible combat, ma sœur, l'ordre est donné.

SALOMITH. — Que fait Joas ?

ZACHARIE. —   Joas vient d'être couronné.
Le grand prêtre a sur lui répandu l'huile sainte.
O Ciel ! dans tous les yeux quelle joie était peinte
A l'aspect de ce roi racheté du[2] tombeau !
Ma sœur, on voit encor la marque du couteau.
On voit paraître aussi sa fidèle nourrice[3],
[1520] Qui cachée en un coin de ce vaste édifice,
Gardait ce cher dépôt, et n'avait de ses soins
Que les yeux de ma mère et que Dieu pour témoins.
Nos lévites pleuraient de joie et de tendresse[4],
Et mêlaient leurs sanglots à leurs cris d'allégresse.
Lui, parmi ces transports[5], affable[6] et sans orgueil,
A l'un tendait la main, flattait l'autre[7] de l'œil,
Jurait de se régler par leurs avis sincères,
Et les appelait tous ses pères ou ses frères.

SALOMITH. — Ce secret au dehors est-il aussi semé[8] ?

ZACHARIE. -[1530] Ce secret dans le temple est encor renfermé.
Des enfants de Lévi la troupe partagée
Dans un profond silence aux portes s'est rangée.
Tous doivent à la fois précipiter leurs pas,
Et crier pour signal : « Vive le roi Joas ! »
Mais mon père défend que le Roi se hasarde[9],
Et veut qu'Azarias demeure pour sa garde.
Cependant Athalie, un poignard à la main[10],
Rit des faibles remparts de nos portes d'airain.
Pour les rompre, elle attend les fatales[11] machines,

---

1. Ce vers rime avec le vers 1507 de l'acte précédent; Racine marque ainsi la continuité de l'action. — 2. Délivré du. — 3. Voir la Préface, p. 29, l. 69 — 4. D'attendrissement; voir La Fontaine : « Le loup déjà se forge une félicité Qui le fait pleurer de tendresse » (I, 5). — 5. Ces grands élans passionnés. — 6. Avec bonté. — 7. Donnait de l'espoir à l'autre. — 8. Divulgué. — 9. S'expose au danger. — 10. Voir le v. 244. — 11. Machines qui causent inévitablement la mort.

1540 Et ne respire[1] enfin que sang et que ruines.
Quelques prêtres, ma sœur, ont d'abord proposé
Qu'en un lieu souterrain, par nos pères creusé,
On renfermât du moins notre arche précieuse.
« O crainte, a dit mon père, indigne[2], injurieuse !
L'arche[3], qui fit tomber tant de superbes[4] tours,
Et força le Jourdain de rebrousser[5] son cours[6],
Des dieux des nations[7] tant de fois triomphante,
Fuirait donc à l'aspect d'une femme insolente ? »
Ma mère, auprès du Roi, dans un trouble mortel,
1550 L'œil tantôt sur ce prince et tantôt vers l'autel,
Muette, et succombant[8] sous le poids des alarmes,
Aux yeux les plus cruels arracherait des larmes.
Le Roi de temps en temps la presse entre ses bras,
La flatte[9]... Chères sœurs, suivez toutes mes pas ;
Et s'il faut aujourd'hui que notre roi périsse,
Allons, qu'un même sort avec lui nous unisse.

SALOMITH. — Quelle insolente main frappe à coups redoublés ?
Qui[10] fait courir ainsi ces lévites troublés[11] ?
Quelle précaution leur fait cacher leurs armes ?
1560 Le temple est-il forcé[12] ?

ZACHARIE. —   Dissipez vos alarmes :
Dieu nous envoie Abner.

SCÈNE II. — ABNER, JOAD, JOSABET,
ZACHARIE, SALOMITH, ISMAËL,
DEUX LÉVITES, ETC.

JOAD. —   En croirai-je mes yeux,
Cher Abner ? Quel chemin a pu jusqu'en ces lieux
Vous conduire au travers d'un camp[13] qui nous assiège ?
On disait que d'Achab la fille sacrilège
Avait, pour assurer[14] ses projets inhumains,
Chargé d'indignes fers vos généreuses mains[15].

---

1. Souhaite ardemment. — 2. Injustifiée. — 3. « Les Hébreux portèrent l'Arche autour de la ville de Jéricho et le septième jour les murailles tombèrent » (*Josué*, VI). — 4. Orgueilleuses. — 5. A rebrousser. — 6. « Dès que les pieds des prêtres qui portaient l'Arche eurent trempé au bord des eaux, les eaux qui descendent d'en haut s'arrêtèrent » (*Josué*, III). — 7. Les faux dieux. — 8. S'affaissant. — 9. La rassure : voir le v. 1526. — 10. Qu'est-ce qui ? — 11. Effarés. — 12. Enlevé de vive force. — 13. D'une armée : voir le v. 1339. — 14. Rendre sûrs. — 15. Mains de noble race.

BNER.   — Oui, Seigneur, elle a craint mon zèle[1] et mon courage.
        Mais c'est le moindre prix que me gardait sa rage[2].
        Dans l'horreur d'un cachot par son ordre enfermé,
   1570 J'attendais que, le temple en cendres consumé[3],
        De tant de flots de sang non encore assouvie,
        Elle vînt m'affranchir d'une importune vie,
        Et retrancher[4] des jours qu'aurait dû mille fois
        Terminer la douleur de survivre à mes rois.

OAD.   — Par quel miracle a-t-on obtenu votre grâce?

---

1. Ma ferveur. — 2. Voir les v. 1298, 1333, 1453, 1631. — 3. Ablatif absolu latin qui a
a valeur d'une subordonnée de temps : après que le temple aurait été consumé. —
. Supprimer.

■■■

● **La marche rapide vers le dénouement**
C'est fait, nous apprend Zacharie, *Joas vient d'être couronné* (v. 1514).
La joie est dans tous les yeux à l'aspect de ce roi qu'on reconnaît à
des signes indiscutables (v. 1518 et 1523). Puis Zacharie nous décrit
le roi au milieu de son peuple (v. 1525-1528).
Comme l'a déjà fait à l'acte II (v. 404-406), Zacharie rapporte avec
beaucoup de fidélité les propos tenus par son père (1544-1548).

● **L'action : un miracle** — L'alarme est grande. Aux portes du temple
entouré de troupes ennemies qui s'apprêtent à le forcer, on entend frapper
des *coups redoublés* (v. 1557) : c'est Abner qui paraît. Son apparition,
qui tient du miracle, apporte au milieu de cette terreur un rayon d'espérance : *Dieu nous envoie Abner* (v. 1561). Joad ne peut dissimuler sa
surprise : il se demande comment Abner a pu sortir de prison et traverser
l'armée assiégeante.

① Le revirement d'Athalie vous surprend-il? Comprenez-vous qu'Athalie, qui tout à l'heure emprisonnait Abner, a pu en faire maintenant un
ambassadeur?
Recherchez tous les motifs de sa décision (voir les v. 456-459).

② Pourquoi Racine ne nous fait-il pas assister à la scène de l'onction
de Joas?
Après avoir indiqué que Racine a su se prêter au comique, Pierre
Moreau écrit : « Ce subtil mélange des genres accueille aussi le roman.
L'Orient surtout y invite, il est la terre des aventures, des mystères,
des destinées qu'enveloppe une poésie étrange. Telle est la poésie de
l'exil qui flotte autour des juives d'*Esther*, ou celle de ces êtres inconnus,
venus de lointains sans nom : Joas l'enfant du mystère, sauvé par
                    une femme inconnue
Qui n'a pas dit son nom et qu'on n'a pas revue [v. 644-645].
Il sera reconnu au dernier acte, grâce au signe inévitable des romans et
des drames, la cicatrice, la marque du poignard (v. 1720). »

■■■

ABNER. — Dieu dans ce cœur cruel sait seul ce qui se passe.
Elle m'a fait venir, et d'un air égaré :
« Tu vois de mes soldats tout ce temple entouré,
Dit-elle. Un feu vengeur va le réduire en cendre,
1580 Et ton Dieu contre moi ne le saurait défendre.
Ses prêtres toutefois, mais il faut se hâter,
A deux conditions peuvent se racheter :
Qu'avec Éliacin on mette en ma puissance
Un trésor dont je sais qu'ils ont la connaissance[1],
Par votre roi David autrefois amassé,
Sous le sceau du secret au grand prêtre laissé.
Va, dis-leur qu'à ce prix je leur permets de vivre. »

JOAD. — Quel conseil[2], cher Abner, croyez-vous qu'on doit[3] suivre

ABNER. — Et tout l'or de David, s'il est vrai qu'en effet[4]
1590 Vous gardiez de David quelque trésor secret,
Et tout ce que des mains de cette reine avare[5]
Vous avez pu sauver et de riche et de rare,
Donnez-le. Voulez-vous que d'impurs assassins
Viennent briser l'autel[6], brûler les chérubins[7],
Et portant sur notre arche une main téméraire,
De votre propre sang souiller le sanctuaire[8] ?

JOAD. — Mais siérait-il, Abner, à des cœurs généreux
De livrer au supplice un enfant malheureux,
Un enfant que Dieu même à ma garde confie,
1600 Et de nous racheter aux dépens de sa vie ?

ABNER. — Hélas ! Dieu voit mon cœur. Plût à ce Dieu puissant
Qu'Athalie oubliât un enfant innocent[9],
Et que du sang d'Abner sa cruauté contente[10]
Crût calmer par ma mort le Ciel qui la tourmente[11] !
Mais que peuvent pour lui vos inutiles soins[12] ?
Quand vous périrez tous, en périra-t-il moins ?
Dieu vous ordonne-t-il de tenter l'impossible ?
Pour obéir aux lois d'un tyran inflexible,
Moïse, par sa mère au Nil abandonné,
1610 Se vit, presque en naissant, à périr condamné ;

---

1. Qu'ils ont connaissance. — 2. Quel parti. — 3. Nous dirions : qu'on doive, mais au XVIIe s
on pouvait employer l'indicatif pour insister sur la réalité du fait. — 4. En réalité. — 5. Avide
— 6. L'autel des parfums ; voir p. 28, l. 27. — 7. Deux chérubins, hauts de dix coudées, en boi
d'olivier revêtu d'or, couvraient l'arche de leurs ailes. — 8. Le Saint des Saints, la partie 1
plus secrète du temple, où seul le grand prêtre avait le droit d'entrer. — 9. Voir les v. 775
790, 1203. — 10. Satisfaite. — 11. La torture. — 12. Vos inquiétudes.

Mais Dieu le conservant contre toute espérance,
Fit par le tyran même élever son enfance[1].
Qui sait ce qu'il[2] réserve à votre Éliacin,
Et si lui[2] préparant un semblable destin,
Il n'a point de pitié déjà rendu capable
De nos malheureux rois l'homicide implacable?
Du moins, et Josabet, comme moi, l'a pu voir,
Tantôt à son aspect je l'ai vu[3] s'émouvoir;
J'ai vu de son courroux tomber la violence.
1620 Princesse, en ce péril vous gardez le silence?
Hé quoi? pour un enfant qui vous est étranger
Souffrez-vous que sans fruit[4] Joad laisse égorger
Vous, son fils, tout ce peuple, et que le feu dévore
Le seul lieu sur la terre où Dieu veut qu'on l'adore?
Que feriez-vous de plus, si des rois vos aïeux
Ce jeune enfant était un reste précieux?

JOSABET, *tout bas à Joad.*

  — Pour le sang de ses rois vous voyez sa tendresse :
  Que ne lui parlez-vous?

JOAD.   —   Il n'est pas temps, Princesse.

---

1. Voir les v. 776, 1148 et 1602. — 2. Le verbe *sait* a deux compléments de nature différente. — 3. Nous écririons : je l'ai vue. — 4. Sans profit.

▪▪▪

- **L'ambassade d'Abner :** *l'ultimatum* — Les prêtres auront la vie sauve à deux conditions : qu'on remette Éliacin et le trésor de David. Les deux exigences ne sont pas présentées sur le même plan : le trésor est réclamé avec plus d'insistance que l'enfant.
  ① Comprenez-vous mieux pourquoi Athalie a choisi Abner (voir v. 1576 et 1577) et n'a pas envoyé Mathan?
  ② Comment comprenez-vous la question de Joad (v. 1588)? Pourquoi, dans sa réponse, Abner ne parle-t-il que du trésor?
- **Le mouvement, l'action et les caractères** (v. 1597 à 1628) — Par rapport à la première scène de la pièce, les rôles sont inversés. Joad freine et Abner pousse.
  ③ Commentez le jugement suivant de G. Le Roy : « On peut presque dire qu'il y a deux mouvements dans cette scène : l'un, celui d'Abner, est impétueux et impatient; l'autre prudent, énigmatique et un peu agaçant; c'est le cavalier de haute école qui tient par le mors un cheval ardent pour utiliser sa fougue à des fins qu'il connaît seul. »
  ④ Commentez ces lignes que M. Douady a écrites à propos de l'apostrophe d'Abner à Josabet (v. 1620) : « Rebuté par les hommes, c'est de tout temps vers les femmes que le défaitisme s'est tourné [...] C'est ainsi qu'Abner cherche à fléchir Josabet. »

▪▪▪

ABNER. — Le temps est cher[1], Seigneur, plus que vous ne pensez.
1630 Tandis qu'à me répondre ici vous balancez[2],
Mathan près d'Athalie, étincelant de rage[3],
Demande le signal et presse le carnage[4].
Faut-il que je me mette à vos sacrés genoux ?
Au nom du lieu si saint qui n'est ouvert qu'à vous,
Lieu terrible où de Dieu la majesté repose[5],
Quelque dure que soit la loi qu'on vous impose,
De ce coup imprévu songeons à nous parer[6].
Donnez-moi seulement le temps de respirer.
Demain, dès cette nuit, je prendrai des mesures
1640 Pour assurer[7] le temple et venger ses injures[8].
Mais je vois que mes pleurs et que mes vains discours
Pour vous persuader sont un faible secours :
Votre austère vertu n'en peut être frappée[9].
Hé bien ! trouvez-moi donc quelque arme, quelque épée,
Et qu'aux portes du temple où l'ennemi m'attend,
Abner puisse du moins mourir en combattant.

JOAD. — Je me rends[10]. Vous m'ouvrez un avis que j'embrasse.
De tant de maux, Abner, détournons la menace.
Il est vrai, de David un trésor est resté.
1650 La garde en fut commise[11] à ma fidélité.
C'était des tristes Juifs l'espérance dernière,
Que mes soins vigilants cachaient à la lumière.
Mais puisqu'à votre reine il faut le découvrir,
Je vais la contenter, nos portes vont s'ouvrir.
De ses plus braves chefs qu'elle entre accompagnée ;
Mais de nos saints autels qu'elle tienne éloignée
D'un ramas[12] d'étrangers l'indiscrète[13] fureur[14].
Du pillage du temple épargnez-moi l'horreur[15].
Des prêtres, des enfants lui feraient-ils quelque ombre[16] ?
1660 De sa suite avec vous qu'elle règle le nombre.
Et quant à cet enfant si craint, si redouté,
De votre cœur, Abner, je connais l'équité.
Je vous veux devant elle expliquer[17] sa naissance :

---

1. Précieux. — 2. Hésitez. — 3. Voir Corneille, *Pompée*, IV, 1 : « Les farouches regards étincelants de rage. » — 4. Voir les v. 1297-1298, 1453-1454. — 5. Le Saint des Saints : voir le v. 1596. — 6. Nous garantir. — 7. Mettre en sûreté. — 8. Les injures qui lui sont faites. — 9. Touchée. — 10. Je cède à vos instances. — 11. Confiée. — 12. Ramassis. — 13. Incapable de garder la mesure. — 14. Voir les v. 422, 958, 1810. — 15. Voir le v. 1809. — 16. Inspireraient-ils quelque défiance. — 17. Faire connaître clairement.

Vous verrez s'il le faut remettre en sa puissance,
Et je vous ferai juge entre Athalie et lui.

ABNER. — Ah ! je le prends déjà, Seigneur, sous mon appui[1].
Ne craignez rien. Je cours vers celle qui m'envoie.

SCÈNE III. — JOAD, JOSABET, ISMAËL, ZACHARIE, ETC.

JOAD. — Grand Dieu, voici ton heure, on t'amène ta proie.
Ismaël, écoutez.
(Il lui parle à l'oreille.)

JOSABET. — Puissant maître des cieux,
1670 Remets-lui le bandeau dont tu couvris ses yeux,
Lorsque lui dérobant tout le fruit de son crime,
Tu cachas dans mon sein cette tendre victime.

---

1. Ma protection.

- **Les caractères** — A l'appel émouvant d'Abner et de Josabet, JOAD, impassible, prudent, calculateur, oppose une réponse laconique : *il n'est pas temps, Princesse* (v. 1628). Il fait sa réponse à haute voix pour qu'Abner l'entende, mais le mot étant à double sens ABNER ne le comprend pas. Il demande des délais afin de prendre *des mesures — Pour assurer le temple et venger ses injures* (v. 1639-1640). Le silence obstiné de Joad amène enfin Abner à faire la déclaration que le grand prêtre attend depuis la première scène : Hé bien ! n'ayant pu sauver le temple, je mourrai *en combattant* (v. 1646) les soldats d'Athalie.
- **Le guet-apens; l'équivoque** — Joad avoue (v. 1649) qu'il lui reste *un trésor, espérance dernière* (v. 1651) des Juifs. Athalie croira nécessairement qu'il s'agit d'un trésor matériel.
  Une restriction mentale : pour qu'Athalie soit à sa merci, Joad demande qu'elle vienne dans le temple avec une faible escorte, et il déclare (v. 1659) : *Des prêtres, des enfants lui feraient-ils quelque ombre?* Mais il ne dit pas, et c'est là une restriction mentale, que ces prêtres sont armés.
  ① Relevez les vers 1345-1350 et dites pourquoi Joad n'a pas mis à exécution le plan qu'il avait d'abord conçu.
  Voltaire s'est indigné de la fourberie de Joad. Et pourtant il a ici tous les droits. Dans sa lutte contre le monstre qu'est Athalie, il doit user de ruse pour arriver à ses fins, parfaitement légitimes : venger Dieu en rétablissant le parti national et la religion nationale. Racine, sentant qu'il aurait à se justifier d'avoir prêté à un pontife inspiré une fourberie contraire à l'esprit de vérité de son Dieu, avait recueilli dans l'Écriture quelques exemples d'équivoques semblables qui pouvaient autoriser son invention (voir le v. 1114).
  ② Appréciez le vers 1668.

JOAD. — Allez, sage Ismaël, ne perdez point de temps :
    Suivez de point en point ces ordres importants.
    Surtout qu'à son entrée et que sur son passage
    Tout d'un calme profond lui présente l'image[1].
    Vous, enfants, préparez un trône pour Joas.
    Qu'il s'avance suivi de nos sacrés soldats.
    Faites venir aussi sa fidèle nourrice,
1680 Princesse, et de vos pleurs que la source tarisse.
      (A un lévite.)
    Vous, dès que cette reine, ivre d'un fol orgueil,
    De la porte du temple aura passé le seuil,
    Qu'elle ne pourra plus retourner en arrière,
    Prenez soin qu'à l'instant la trompette guerrière[2]
    Dans le camp[3] ennemi jette un subit effroi.
    Appelez tout le peuple au secours de son roi ;
    Et faites retentir jusques à son oreille
    De Joas conservé l'étonnante merveille[4].
    Il vient.

SCÈNE IV. — JOAS, JOAD, JOSABET,

TROUPES DE PRÊTRES ET DE LÉVITES, ETC.

JOAD *continue.*
    — Lévites saints, prêtres de notre Dieu,
1690 Partout, sans vous montrer, environnez ce lieu ;
    Et laissant à mes soins[5] gouverner votre zèle,
    Pour paraître attendez que ma voix vous appelle.
      (Ils se cachent tous.)
    Roi, je crois qu'à vos vœux cet espoir est permis,
    Venez voir à vos pieds tomber vos ennemis.
    Celle dont la fureur poursuivit votre enfance
    Vers ces lieux à grands pas pour vous perdre s'avance.
    Mais ne la craignez point. Songez qu'autour de vous
    L'ange exterminateur est debout avec nous.
    Montez sur votre trône, et... Mais la porte s'ouvre :
1700 Permettez un moment que ce voile vous couvre.
      (Il tire un rideau.)
    Vous changez de couleur, Princesse ?

---

1. L'apparence. — 2. Voir le v. 6. — 3. L'armée. — 4. L'étonnante merveille du salut de Joas. — 5. Par mes soins.

OSABET. —   Ah ! sans pâlir,
         Puis-je voir d'assassins le temple se remplir ?
         Quoi ? ne voyez-vous pas quelle nombreuse escorte...

OAD. — Je vois que du saint temple on referme la porte.
         Tout est en sûreté.

SCÈNE V. — ATHALIE ; JOAS, *caché derrière le rideau;*
JOAD, JOSABET, ABNER, SUITE D'ATHALIE.

ATHALIE, *à Joad.*
—   Te voilà, séducteur[1],
         De ligues, de complots pernicieux auteur[2],
         Qui dans le trouble seul as mis tes espérances,
         Éternel ennemi des suprêmes puissances.
         En[3] l'appui de ton Dieu tu t'étais reposé.

---

1. Toi qui détournes du droit chemin. — 2. Instigateur. — 3. Sur.

● **L'action** — M. Douady écrit, à propos de cette scène : « N'oublions pas que ces lévites du temple, dont Joad, qui a tout prévu, a doublé l'effectif dès la veille au soir, comprennent, pour le service de l'autel, une équipe de tueurs professionnels, assommeurs de taureaux. égorgeurs de boucs et de béliers, écorcheurs, équarisseurs, qui, avec leur seul couteau de sacrifice à la main, sauraient en découdre, et l'on verra beau jeu si, puisant dans le vieil arsenal du roi David, on leur distribue par surcroît, comme le fait Joad, ce formidable amas de lances et d'épées.
» Quant aux *enfants* (v. 1677) ce sont les jeunes personnes de la maîtrise. C'est par la plus charmante des conventions théâtrales que Racine les a conservées dans le temple jusqu'à la catastrophe. Il fallait envelopper d'harmonie sinon ces robustes lutteurs, que Racine a pudiquement dissimulés, du moins toute la cérémonie du sacre de Joas dont le grand prêtre, zélé conformiste, tient à observer tous les rites » (Article cité).
① Commentez ce jugement de Th. Maulnier : « Dans les héros d'*Athalie*, l'ambition, la piété, l'innocence sont vivantes et se heurtent de tout le choc de leurs fureurs désincarnées. Tout le conflit se déroule entre des passions devenues d'une sainteté et d'une cruauté abstraites.
» Pour animer, pour arrêter les bras armés, Racine a fait descendre sur la scène les puissances pures de la foi, de la justice et de la profanation [...] Les héros ont perdu la réalité corporelle qui donnait à Hermione ou à Phèdre leur état de grâce dans le péché et dans le crime. Ils sont maintenant, dans le bien et le mal des ascètes, les angéliques serviteurs d'une théologie impitoyable. Joad le sait bien qui dit pour rassurer Joas dans la troupe des Lévites : *L'Ange exterminateur est debout avec nous.* » [v. 1698].

1710 De ton espoir frivole[1] es-tu désabusé?
Il laisse en mon pouvoir et son temple et ta vie.
Je devrais sur l'autel, où ta main sacrifie,
Te... Mais du prix qu'on m'offre il faut me contenter.
Ce que tu m'as promis, songe à l'exécuter.
Cet enfant, ce trésor, qu'il faut qu'on me remette,
Où sont-ils?

JOAD. —   Sur-le-champ tu seras satisfaite :
Je te les vais montrer l'un et l'autre à la fois.
                    (Le rideau se tire.)
          Paraissez, cher enfant, digne sang de nos rois.
Connais-tu[2] l'héritier du plus saint des monarques[3],
1720 Reine? De ton poignard connais du moins ces marques
Voilà ton roi, ton fils, le fils d'Ochosias.
Peuples, et vous, Abner, reconnaissez Joas.

ABNER. — Ciel !

ATHALIE, *à Joad.*
          —   Perfide !

JOAD. —   Vois-tu cette Juive fidèle,
Dont tu sais bien qu'alors il suçait la mamelle?
Il fut par Josabet à ta rage enlevé.
Ce temple le reçut, et Dieu l'a conservé.
Des trésors de David voilà ce qui me reste.

ATHALIE. — Ta fourbe[4] à cet enfant, traître, sera funeste.
D'un fantôme odieux, soldats, délivrez-moi.

JOAD. 1730 Soldats du Dieu vivant, défendez votre roi.
        *(Ici le fond du théâtre s'ouvre. On voit le dedans du temple,
        et les lévites armés sortent de tous côtés sur la scène.)*

ATHALIE. — Où suis-je? O trahison ! ô reine infortunée !
D'armes et d'ennemis je suis environnée.

JOAD. — Tes yeux cherchent en vain, tu ne peux échapper,
Et Dieu de toutes parts a su t'envelopper.
Ce Dieu que tu bravais, en nos mains t'a livrée.
Rends-lui compte du sang dont tu t'es enivrée.

ATHALIE. — Quoi? la peur a glacé mes indignes soldats?
Lâche Abner, dans quel piège as-tu conduit mes pas !

ABNER. — Reine, Dieu m'est témoin...

---

1. Vain. — 2. Reconnais-tu. — 3. David. — 4. Ta fourberie.

ATHALIE. —   Laisse là ton Dieu, traître,
    1740 Et venge-moi.

ABNER, *se jetant aux pieds de Joas.*

    —   Sur qui? Sur Joas! sur mon maître!

ATHALIE. — Lui Joas? lui ton roi? Songez, méchants[1], songez
    Que mes armes encor vous tiennent assiégés.
    J'entends à haute voix tout mon camp qui m'appelle.
    On vient à mon secours. Tremblez, troupe rebelle.

SCÈNE VI. — ISMAËL, JOAS, JOAD, ATHALIE, ETC.

ISMAËL, *à Joad.*

    — Seigneur, le temple est libre et n'a plus d'ennemis.
    L'étranger est en fuite, et le Juif[2] est soumis.
    Comme le vent dans l'air dissipe la fumée[3],
    La voix du Tout-Puissant a chassé cette armée.
    Nos lévites, du haut de nos sacrés parvis,
    1750 D'Ochosias au peuple ont annoncé le fils,
    Ont conté son enfance au glaive dérobée[4],
    Et la fille d'Achab dans le piège tombée[4].
    Partout en même temps la trompette a sonné;
    Et ses sons et leurs cris dans son camp étonné[5]
    Ont répandu le trouble et la terreur subite
    Dont Gédéon frappa le fier[6] Madianite[7].
    Les Tyriens, jetant armes et boucliers,
    Ont, par divers chemins, disparu les premiers.

1. Rebelles. — 2. Le peuple juif. — 3. « Comme se dissipe la fumée » (*Psaume* LXVII, 3). —
4. Participes passés jouant le rôle de substantifs. — 5. Frappé comme par le tonnerre. —
6. Le sauvage. — 7. Voir le *Livre des Juges*, VII, 16 à 22 : Gédéon avait pénétré la nuit
dans le camp des Madianites; ceux-ci, effrayés par le bruit des trompettes et des armes,
prirent la fuite.

■■

- **Le mouvement dans la scène 5** — Cette scène, courte mais savamment
  graduée, comporte deux coups de théâtre : la proclamation de Joas
  et l'invasion des lévites en armes sur la scène.
- **Le spectacle** — Racine bouscule la tradition classique à qui l'on a reproché
  trop de discours et trop peu d'action extérieure. Ici, Racine ne s'adresse
  pas seulement au cœur et à l'imagination, mais aux yeux et aux sens.
  La scène est envahie par une foule pittoresque et variée; les personnages,
  disposés autour du trône de Joas, forment un tableau vivant.
  ① « Le lieu est inséparable de l'action [...] et le décor prend ici toute
  son importance » (R. Picard).
- **Le récit d'Ismaël** est le dernier coup pour Athalie à qui il enlève son
  dernier espoir. Il consacre le triomphe du dieu des Juifs sur son ennemie
  idolâtre.

■■

Quelques Juifs éperdus ont aussi pris la fuite;
1760 Mais de Dieu sur Joas admirant la conduite[1],
Le reste à haute voix s'est pour lui déclaré.
Enfin d'un même esprit[2] tout le peuple inspiré,
Femmes, vieillards, enfants, s'embrassant avec joie[3],
Bénissent le Seigneur et celui qu'il envoie.
Tous chantent de David le fils ressuscité.
Baal est en horreur dans la sainte cité.
De son temple profane on a brisé les portes.
Mathan est égorgé.

ATHALIE. —   Dieu des Juifs, tu l'emportes !
Oui, c'est Joas, je cherche en vain à me tromper.
1770 Je reconnais l'endroit où je le fis frapper;
Je vois d'Ochosias et le port et le geste :
Tout me retrace[4] enfin un sang que je déteste[5].
David[6], David triomphe; Achab[7] seul est détruit.
Impitoyable Dieu, toi seul as tout conduit.
C'est toi qui me flattant d'une vengeance[8] aisée,
M'as vingt fois en un jour à moi-même opposée,
Tantôt pour un enfant excitant mes remords,
Tantôt m'éblouissant de tes riches trésors,
Que j'ai craint de livrer aux flammes, au pillage.
1780 Qu'il règne donc ce fils, ton soin[9] et ton ouvrage;
Et que pour signaler son empire[10] nouveau,
On lui fasse en mon sein enfoncer le couteau.
Voici ce qu'en mourant lui souhaite sa mère.
Que dis-je, souhaiter? je me flatte, j'espère
Qu'indocile à ton joug, fatigué de ta loi,
Fidèle au sang d'Achab, qu'il a reçu de moi,
Conforme à[11] son aïeul[12], à son père semblable,
On verra de David l'héritier détestable
Abolir[13] tes honneurs, profaner ton autel,
1790 Et venger Athalie, Achab et Jézabel.

JOAD. — Qu'à l'instant hors du temple elle soit emmenée,
Et que la sainteté n'en soit point profanée.
Allez, sacrés vengeurs de vos princes meurtris[14],

---

1. La suite des desseins de Dieu. — 2. D'un même cœur. — 3. Voir le **v.** 1812. — 4. Tout me rappelle. — 5. Maudits. — 6. La race de David. — 7. La race d'Achab. — 8. Me faisant faussement espérer une vengeance. — 9 L'objet de ta sollicitude. — 10. Sa puissance. — 11. Agissant comme. — 12. Grand-père. — 13. Réduire à néant. — 14. Tués.

> De leur sang par sa mort faire cesser les cris.
> Si quelque audacieux embrasse sa querelle[1],
> Qu'à la fureur du glaive on le livre avec elle.

1. Sa cause.

- **Le « Te Deum » d'Ismaël** — G. Le Roy écrit à ce sujet : « Ismaël surgit, chantant dans une sorte de *Te Deum* la défaite des Tyriens, la volte-face des Juifs, leur soumission à Jéhovah et l'égorgement de Mathan. »
  ① L'expression *Te Deum* vous paraît-elle appropriée?
  ② Racine souligne que, dans le peuple, tous participent à l'allégresse universelle (v. 1763). La peinture de cette unanimité n'ouvre-t-elle pas des perspectives sur les destinées d'Israël?

- **L'antimilitarisme de Racine** — M. Douady pose une question. « Dans les tragédies de Racine, Burrhus de *Britannicus* et ABNER sont les deux seuls militaires professionnels qui jouent un rôle de quelque envergure. [...] Pourquoi Racine a-t-il donné à Burrhus, préfet du prétoire, puis vingt-deux ans plus tard à son Abner, même incompréhension, même larmoyance, même pauvreté de décision? »
  ③ Vous répondrez à cette question.
  ④ Que pensez-vous de cet autre jugement de M. Douady? « Quoi qu'il en soit, ceux qui cherchent dans les grandes œuvres non pas l'occasion d'épiloguer sur des documents mais des directives pour l'action, doivent savoir infiniment de gratitude à Racine pour nous avoir proposé dans JOAD (oublions sa dureté et sa ruse orientale) un magnifique exemple de triomphe de la volonté, et pour nous avoir, par contraste, montré dans ABNER comment les âmes faibles, d'équivoque en équivoque, de compromis en compromis, s'avancent souvent, sans s'en douter, jusqu'au seuil de la lâcheté, et parfois même le franchissent, au point qu'il faille des trésors d'indulgence pour leur accorder autre chose que le mépris. »

- **Les imprécations d'Athalie** — Ces imprécations sont pathétiques parce qu'elles contiennent une prophétie : Athalie a la même pensée que Joad quand il s'écriait : (v. 1142) *Comment en un plomb vil l'or pur s'est-il changé?*
  ⑤ Pourquoi Athalie s'adresse-t-elle à Dieu et non à Joad (v. 1768)?
  ⑥ Comparez les imprécations d'Athalie à celles de Camille dans *Horace*, de Cléopâtre dans *Rodogune*, d'Agrippine dans *Britannicus*.
  ⑦ Racine a, par deux fois, dans son théâtre, peint l'ambition féminine: dans le caractère d'Athalie et dans celui d'Agrippine. Comparez-les en vous aidant de leurs imprécations.
  ⑧ Acceptez-vous ce jugement de F. Mauriac sur les imprécations? « Racine n'a peut-être pas conscience de son plaisir lorsqu'il souffle à la vieille reine indomptable cet affreux courage de braver Dieu, le couteau sur la gorge. Lui qui a choisi de se soumettre, de servir en tremblant, il ne sait pas qu'une part de lui-même se satisfait de ces blasphèmes et se grise de cette audace désespérée. »

SCÈNE VII. — JOAS, JOAD, JOSABET, ABNER, etc.

JOAS. — Dieu, qui voyez mon trouble et mon affliction,
　　　　Détournez loin de moi sa malédiction,
　　　　Et ne souffrez jamais qu'elle soit accomplie.
1800　 Faites que Joas meure avant qu'il vous oublie.

JOAD, *aux lévites.*

　　　　— Appelez tout le peuple, et montrons-lui son roi :
　　　　Qu'il lui vienne en ses mains renouveler sa foi[1].
　　　　Roi, prêtres, peuple, allons, pleins de reconnaissance,
　　　　De Jacob[2] avec Dieu confirmer l'alliance[3],
　　　　Et saintement confus de nos égarements,
　　　　Nous rengager[4] à lui par de nouveaux serments.
　　　　Abner, auprès du Roi reprenez votre place.
　　　　Hé bien? de cette impie a-t-on puni l'audace?

SCÈNE VIII. — UN LÉVITE, JOAS, JOAD, etc.

UN LÉVITE.

　　　　— Le fer a de sa vie expié[5] les horreurs[6].
1810　 Jérusalem, longtemps en proie à ses fureurs[7],
　　　　De son joug odieux à la fin soulagée,
　　　　Avec joie en son sang la regarde plongée.

JOAD. — Par cette fin terrible et due à ses forfaits,
　　　　Apprenez, roi des Juifs, et n'oubliez jamais
　　　　Que les rois dans le Ciel ont un juge sévère,
　　　　L'innocence un vengeur, et l'orphelin un père[8].

---

1. Son serment de fidélité. — 2. Le peuple de Jacob. Jacob avait eu douze fils qui fondèrent les douze tribus d'Israël. — 3. Il s'agit du pacte conclu entre Dieu et la nation élue depuis le Sinaï. — 4. Nous lier à nouveau. — 5. Puni. — 6. Voir le v. 1658. — 7. Voir les v. 42, 958, 1657. — 8. On a rapproché ces vers de ceux d'*Ion* d'Euripide (v. 1621-1622).

BIBLIOGRAPHIE

Mesnard, édition des « Grands écrivains de la France », 1865-1873, 8 vol.
G. Le Bidois, *la Vie dans la tragédie de Racine*, 1900.
René Bray, *la Formation de la doctrine classique en France*, 1926.
Lucien Dubech, *Jean Racine politique*, 1926.
François Mauriac, *Racine*, 1928.
Thierry Maulnier, *Racine*, 1935.
J. Scherer, *la Dramaturgie classique en France*, 1950.
Antoine Adam, *Histoire de la littérature française au XVII*e *s.*, t. IV, 1954.
R. Picard, *la Carrière de Jean Racine*, 1956.
J. Orcibal, *la Genèse d'Esther et d'Athalie*, 1956.

J. David

Cl. J. Dubout

JOAS. — Aux petits des oiseaux il donne leur pâture... (II, 7, v. 647)

COMMENT ON A JUGÉ « ATHALIE »

Avant même que la tragédie fût « répétée » par les demoiselles de Saint-Cyr, on s'entretenait d'*Athalie* à la Cour et à la Ville, « M. de Racine » en ayant donné lecture en divers endroits. Le 15 novembre 1690, l'ABBÉ DUGUET rapportait à une dame inconnue les sentiments qu'il avait éprouvés en entendant l'une de ces lectures : « Aujourd'hui j'ai passé une grande partie du jour chez M. le Marquis de Chandenier [...] M. Racine y a bien voulu réciter quelques scènes de son *Athalie;* et, dans le vrai, rien n'est plus grand ni plus parfait. Des personnes de bon goût me l'avoient fort vantée, mais on ne peut mettre de la proportion entre le mérite de cette pièce et les louanges; le courage de l'auteur est encore plus digne d'admiration que sa lumière, sa délicatesse et son inimitable talent pour les vers. L'Écriture y brille partout et d'une manière à se faire respecter par ceux qui ne respectent rien. C'est partout la Vérité qui touche et qui plaît; c'est elle qui attendrit et qui arrache les larmes de ceux mêmes qui s'appliquent à les retenir. On est encore plus instruit que remué, mais on est remué jusqu'à ne pouvoir dissimuler les mouvements de son cœur. Comme je sais que vous aimez M. Racine, et que je l'aime avec la même tendresse, je n'ai pu retenir en votre présence les sentiments que je voudrais vous inspirer, si vous ne les aviez déjà. »

Quatre mois après la « première », ANTOINE ARNAULD put lire la pièce et, le 10 avril 1691, il fit savoir à M. WILLARD pourquoi il gardait sa préférence à *Esther :*

« Je l'ai lue aussitôt [la tragédie d'*Athalie*] deux ou trois fois avec grande satisfaction [...] Si j'avais plus de loisirs, je vous marquerais plus au long ce que j'ai trouvé dans cette pièce qui me l'a fait admirer. Le sujet y est traité avec un art merveilleux, les caractères bien soutenus, les vers nobles et naturels. Ce qu'on y fait dire aux gens de bien inspire du respect pour la religion et pour la vertu [...] mais pour moi, je vous dirai franchement que les charmes de la cadette n'ont pu m'empêcher de donner la préférence à l'aînée [*Esther*]. J'en ai beaucoup de raisons dont la principale est que j'y trouve beaucoup plus de choses très édifiantes et très capables d'inspirer la pitié. »

Le même Willard reçut du PÈRE QUESNEL l'expression d'une admiration sans réserve pour « la pièce la plus régulière » que l'on connût :

« Nous relisons de temps en temps *Athalie* et nous y trouvons toujours de nouvelles beautés. Les chants en sont beaux; mais il y en a qui demandent les accords des parties de la symphonie. Il y a des endroits qui sont des dénonciations en vers et en musique, et publiées au son de la flûte. Les plus belles maximes de l'Évangile y sont exprimées d'une manière touchante, et il y a des portraits où l'on n'a pas besoin de dire à qui ils ressemblent. Notre ami [Arnauld] croit que c'est la pièce la plus régulière et qu'*Esther* et *Athalie* sont les deux plus belles qu'on ait jamais faites en ce genre. » Auprès de tels suffrages, l'ironie des gazetiers paraît peu de chose, d'autant qu'elle vise plus la réussite mondaine du poète que la valeur de sa tragédie :

> Racine, de ton *Athalie*
> Le public fait bien peu de cas.
> Ta famille en est anoblie,
> Mais ton nom ne le sera pas.

XVIIIᵉ siècle

Au XVIIIᵉ siècle, les opinions deviennent plus variées : la pièce appartient maintenant au répertoire, et la « philosophie » a son mot à dire.

① La Duchesse de BOURGOGNE à Mᵐᵉ de MAINTENON (1702) : « *Athalie* est une pièce froide et Racine s'en est repenti. »

Mᵐᵉ de CAYLUS, nièce de Mᵐᵉ de Maintenon (*Mes Souvenirs*, 1728) : « Cette pièce est si belle que l'action n'en parut pas refroidie; il me semble même qu'elle produisit alors plus d'effet qu'elle n'en produit sur le théâtre de Paris. »

VOLTAIRE (dédicace de *Mérope*, 1744) ② : « La France se glorifie d'*Athalie;* c'est le chef-d'œuvre de notre théâtre; c'est celui de la poésie; c'est de toutes les pièces qu'on joue la seule où l'amour ne soit pas introduit; mais aussi elle est soutenue par la pompe de la religion, et par cette majesté de l'éloquence des prophètes. »

VOLTAIRE (Préface des *Guèbres*, 1769) : « *Athalie* est peut-être le chef-d'œuvre de l'esprit humain. Trouver le secret de faire en France une tragédie intéressante sans amour, oser faire parler un enfant sur le théâtre et lui prêter des reparties dont la candeur et la simplicité nous tirent des larmes, n'avoir presque pour acteurs principaux qu'une vieille femme et un prêtre, remuer le cœur pendant cinq actes avec ces faibles moyens, se soutenir surtout (et c'est le grand art) par une action toujours naturelle et auguste, souvent sublime, c'est là ce qui n'a été donné qu'à Racine et qu'on ne reverra probablement jamais. »

D'ALEMBERT (lettre à Voltaire, 11 décembre 1769) : « Je suis depuis longtemps entièrement de votre avis sur *Athalie*. J'ai toujours regardé cette pièce comme un chef-d'œuvre de versification, et comme une très belle tragédie de collège. Je n'y trouve ni action ni intérêt; on ne s'y soucie de personne, ni d'Athalie qui est une méchante carogne, ni de Joad qui est un prêtre insolent, séditieux et fanatique, ni de Joas même, que Racine a eu la maladresse de faire entrevoir en deux endroits comme un méchant garnement futur. Je suis persuadé que les idées de religion dont nous sommes imbus dès l'enfance contribuent, sans que nous nous en apercevions, au peu d'intérêt qui soutient cette pièce et que si on changeait les noms et que Joad fût un prêtre de Jupiter ou d'Isis, et Athalie une reine de Perse ou d'Égypte, cette pièce serait bien froide au théâtre. D'ailleurs à quoi sert toute cette prophétie de Joad, qu'à faire languir l'action qui n'est pas déjà trop animée? Je crois en général (et je vais peut-être dire un blasphème) que c'est plutôt l'art de la versification que celui du théâtre qu'il faut apprendre chez Racine. J'en connais à qui je donnerais un plus grand éloge, mais ils n'ont pas l'honneur d'être morts. »

XIXe siècle

Avant de rappeler l'opinion du xixe siècle sur *Athalie*, il importe de souligner que la tragédie de Racine fut, à cette époque, exceptionnellement servie par ses interprètes. Après s'être essayé dans le rôle d'un lévite et dans celui d'Abner, Talma connaît un grand succès dans le rôle de Joad, ce qui lui vaut les félicitations de Lamartine. En 1847, c'est Rachel qui joua Athalie. Mais la reprise la plus saisissante sera celle du 28 avril 1892, avec Mounet-Sully (Joad) qui, dans un travail préparatoire, avait réglé minutieusement la mise en scène.

CHATEAUBRIAND (le *Génie du Christianisme*, 1802) : « Racine dans *Athalie* ne peut être comparé à personne; c'est l'œuvre le plus parfait du génie inspiré par la religion. »

SCHLEGEL (*Cours de Littérature dramatique*, t. II, 1811) : « Avant de dire un dernier adieu à la poésie et au monde, Racine déploya toutes ses forces dans *Athalie*. C'est non seulement son ouvrage le plus parfait, mais c'est encore à mon avis parmi les tragédies françaises celle qui, libre de toutes manières, s'approche le plus du grand style de la tragédie grecque [...] L'intérêt de la curiosité, l'émotion et la terreur se succèdent tour à tour et prennent une force toujours croissante. »

Victor HUGO (Préface de *Cromwell*, 1827) : ① « Il y a surtout du génie épique dans cette prodigieuse *Athalie*, si haute et si simplement sublime que le siècle royal ne l'a pu comprendre. »

LAMARTINE (*Cours familier de littérature*) : « La langue n'est pas moins transformée que l'idée; de molle et de langoureuse qu'elle était dans *Andromaque*, dans *Bajazet* ou dans *Phèdre*, elle devient nerveuse comme le dogme, majestueuse comme la prophétie, laconique comme la loi, simple comme l'enfance, tendre comme la componction, embaumée comme l'encens des tabernacles; ce ne sont plus des vers qu'on entend, c'est la musique des anges; ce n'est plus de la poésie qu'on respire, c'est de la sainteté. »

DELTOUR (*les Ennemis de Racine au XVII⁰ siècle*, 2⁰ éd., 1865) :
« *Athalie* est la pièce la plus achevée de notre théâtre pour la simplicité et la force de la conception et de l'intrigue; pour la vigueur
et la conséquence des caractères, pour la vérité saisissante de la
couleur, pour la majesté du spectacle, pour l'énergie, la magnificence,
la hardiesse biblique et en même temps l'exquise et merveilleuse
pureté du style [...] Racine marquait profondément les traits du
peuple juif; il développait un sujet tout à fait en dehors des habitudes
du théâtre; il échappait complètement aux traditions et aux
influences de son temps. »

Ernest RENAN (« L'Imitation de la Bible dans *Athalie* ») : « Ce
serait sans doute un blasphème de dire que Racine ne comprit pas la
poésie de la Bible; mais j'oserai le dire, il la comprit à sa manière et
en la teignant de ses couleurs favorites [...] Étranger par ses études et
son génie au tour oriental, à ses hardiesses, à ses images, à sa manière
abrupte et concise, il n'eut de sens que pour ce qui lui rappelait
Sophocle et Virgile [...] *Athalie* n'est donc pas une œuvre biblique.
Ce ne sont pas les couleurs orientales, dans leur simple blancheur,
mais réfractées et dispersées par un génie nourri aux sources les
plus pures de la Grèce et produisant ainsi une œuvre qui, sans
être d'aucune nation, n'en est pas moins belle et originale. Le fond
en est biblique, la forme toute grecque. »

SAINTE-BEUVE (*Port-Royal*, tome VI) : « *Athalie*, comme art, égale
tout. Le sentiment de l'éternel, que j'ai marqué le dominant et
l'unique de la pièce, est si bien conçu et exprimé par l'âme et par
l'art à la fois, que ceux-mêmes qui ne croiraient pas seraient pris
non moins puissamment par ce seul côté de l'art, pour peu qu'ils
y fussent accessibles. Quand le christianisme (par impossible)
passerait, *Athalie* resterait belle de la même beauté, parce qu'elle
le porte en soi, parce qu'elle suppose tout son ordre religieux et
le crée nécessairement. *Athalie* est belle comme l'*Œdipe-Roi*, avec
le vrai Dieu de plus.
» Racine, dans *Athalie*, a égalé les grandeurs bibliques de Bossuet;
et il les a égalées avec des formes d'audace qui lui sont propres,
c'est-à-dire toujours amenées et revêtues, sans avoir besoin des
brusqueries de Bossuet. Le *Discours sur l'Histoire universelle*,
Athalie et *Polyeucte* (ne l'oublions pas), ce sont les trois plus hauts
monuments d'art chrétien au XVII⁰ siècle, les *Pensées* de Pascal,
par malheur, n'ayant pu atteindre au monument proprement dit
et étant restées à l'état de grandes ruines. »

XX⁰ siècle

Jules LEMAITRE (*Jean Racine*, 1908) : « *Athalie* est une tragédie
chrétienne et, considérée ainsi, dans un esprit de foi, ou tout au
moins de religieuse sympathie, elle grandit encore. Car ce qui s'agite

dans ce drame, ce sont les destinées mêmes du christianisme. Songez un peu que Joas est l'aïeul du Christ et que la restauration de Joas, est, en quelque sorte, une condition matérielle du salut du monde. »

Jean GIRAUDOUX (*Littérature*, 1941) : « Racine a enfin trouvé une fatalité plus impitoyable que la fatalité antique dont l'incroyance grecque et l'horizon poétique tempèrent la virulence. Il a trouvé son peuple. Il peut, avec les Juifs, troquer son Destin grec contre un Jéhovah qui, en plus de la cruauté native de Zeus, a sur les hommes des desseins précis. Il trouvait des êtres qui, outre leur fatalité particulière, portaient encore une fatalité générale. Il trouvait enfin leur raison à ces créatures douces et maternelles appelées ici Josabet : c'était de voir mourir avec joie une vieille femme ennemie dans les supplices. »

Antoine ADAM (*Histoire de la Littérature française au XVIIe siècle, tome V*) : « La noblesse de cette œuvre, la sobriété du ton, la beauté de la langue sont certaines. Il est peut-être exagéré de dire plus et de la mettre à côté d'*Œdipe-Roi*, parmi les sommets de l'art dramatique, au-dessus des tragédies de Racine. »

Th. MAULNIER (*Racine*) : « *Athalie* ne fait même plus de place aux contestations amoureuses et politiques : elle est fatale et religieuse seulement, et par là, Racine qui, seul de son temps, a déjà su voir Euripide et Sophocle à travers Sénèque, va au-delà d'Euripide et de Sophocle, et retrouve sa vraie parenté avec le tragique eschylien. Les cultes et les prodiges qu'il avait mis dans *Iphigénie* et dans *Phèdre*, étaient les cultes et les prodiges d'une foi disparue et ressuscitée ; dans *Athalie* éclate une foi actuelle et vivante, la foi dont vivent l'époque et la civilisation de Racine [...]

① » *Athalie* est la tragédie d'une volonté et d'une mission : le dieu et l'homme ont cessé d'y avoir leur point d'appui sur la terre. L'homme ne compte plus, mais seulement l'homme au service de Dieu, c'est-à-dire le service de Dieu. La tragédie sacrée ne diffère point de la tragédie profane en ce que l'homme y est mené par des forces qui le dépassent, mais en ce que sa fatalité même et sa souffrance ont cessé d'être à lui [...]

» L'extraordinaire grandeur d'*Athalie* a été payée cher. Le plus humain des théâtres s'achève en dépossédant l'homme de son drame intérieur, l'auteur tragique qui a fait de toute son œuvre la représentation de l'homme la plus émouvante et la plus complète ôte à l'homme jusqu'à la libre disposition de ses tourments, et de sa perte. La mort elle-même ne compte plus dans *Athalie* que pour ce qu'elle perd ou pour ce qu'elle sauve, les héros ont cessé d'avoir des titres personnels à la contemplation du spectateur tragique et à la persécution du destin. Singulière fortune d'un poète qui avait mis dans son œuvre l'humanité la plus riche de passion, d'égoïsme et de brutalité, et qui finit par subordonner le tragique lui-même à un service divin, le déchaînement et la destruction de l'homme à une mission éternelle. »

Quelques opinions sur les personnages

VOLTAIRE (Préface des *Guèbres*, 1769) : « Je ne puis aimer le pontife Joad. Comment! Conspirer contre sa reine, la trahir par le plus lâche des mensonges, en lui disant qu'il y a de l'or dans sa sacristie et qu'il lui donnera cet or! La faire ensuite égorger par des prêtres à la porte aux chevaux! [...] Athalie est une grand-mère de près de cent ans, le jeune Joas est son petit-fils, son unique héritier; elle n'a plus de parents, son intérêt est de l'élever et de lui laisser la couronne; elle déclare elle-même qu'elle n'a pas d'autre intention. C'est une absurdité insupportable de supposer qu'elle veuille élever Joas chez elle pour s'en défaire; c'est pourtant sur cette absurdité que le fanatique Joad assassine la reine. »

F. SARCEY (feuilleton dramatique du *Temps*, 6 octobre 1873) : « J'ai lu bien des appréciations de cette fameuse prophétie de Joad. J'ai quelque honte à le dire, mais il ne m'a pas semblé que personne en ait vu, au point de vue dramatique bien entendu, le véritable caractère.

» Voilà des gens que l'on va envoyer se faire tuer pour une cause qu'ils ne connaissent point, qui leur est fort indifférente, qui n'apportera, si elle réussit, aucun changement à leur état [...] Pourquoi voulez-vous qu'ils marchent si on ne leur met pas, par un artifice quelconque, le feu au ventre? Tous les conspirateurs, depuis que le monde est monde, arrivés à ce moment critique, ont senti le besoin de frapper un grand coup, d'enflammer les imaginations, d'étourdir, d'éblouir, de surexciter les pauvres diables qu'ils lançaient en avant.

» Les uns se servent de moyens matériels : ils font des distributions d'eau-de-vie, ils donnent de l'argent, ils mêlent — dit-on — de la poudre au breuvage des soldats [...] D'autres croient plutôt à l'influence du moral; et toutes les histoires vous présenteront partout, à l'heure décisive, un chef de conspiration, un Catalina ou un Jeffier, réunissant ses affiliés et les excitant de sa parole, les échauffant de ses promesses, leur jetant ces grands mots de liberté et de patrie, qui tombent sur une foule comme des brandons enflammés.

» Joad est un conspirateur théocratique. C'est donc l'idée de Dieu qui sera pour lui le moyen dont il usera pour remuer ces masses, et ce moyen, il ne l'ignore pas, est le plus puissant de tous.

Voilà donc quels vengeurs s'arment pour ta querelle,
Des prêtres, des enfants ...! (v. 1119-1120.)

s'écrie-t-il; mais si ces prêtres et ces enfants sont bien décidés à se faire tuer gaillardement, ils peuvent l'emporter sur des troupes même aguerries, même disciplinées, mais qui auront moins de confiance en la bonté de leur cause et c'est ce que Joad exprime aussitôt en ces vers (1120-1125) :

> *O Sagesse éternelle!*
> *Mais si tu les soutiens qui peut les ébranler?*
>
> *. . .*
>
> *Ils ne s'assurent point en leurs propres mérites,*
> *Mais en ton nom sur eux invoqué tant de fois...*

Etc... etc...

» Vous vous récriez là-dessus : mais il est de bonne foi ! — Eh ! sans doute, il est de bonne foi ! Cromwell était aussi de bonne foi quand il se jetait à genoux, demeurant en oraison devant toute son armée, implorant le secours du Très-Haut. Tous ces magnifiques charlatans sont de bonne foi. »

F. Sarcey (feuilleton dramatique du *Temps*, 25 août 1873) : « Le hasard a livré Joas encore à la mamelle à celui-là même qui avait fondé sur son avènement futur l'espoir de sa fortune. Il est trop clair qu'il a dû songer à le pétrir de bonne heure au profit de son ambition [...]

① » Le caractère que le poète a dû donner à Joas en découle invinciblement. Joas sera un très gentil enfant, d'un cœur excellent, de mœurs douces, de langage aimable; mais on retrouvera en toute occasion sur ses lèvres les formules de catéchisme dont on a farci son intelligence. Il ne lui manque de ce qui constitue un homme et surtout un roi, qu'un seul point, qui est le vouloir personnel; le ressort lui manque, comment l'aurait-il? On l'a, chez lui, de parti-pris, énervé, usé. On a toujours pensé, voulu, parlé pour lui. La réponse toute faite lui vient naturellement aux lèvres, aussitôt qu'on l'interroge, une réponse au-dessus de son âge, cela va sans dire. Ne vous en étonnez pas. Est-ce que les perroquets ne répètent pas des phrases au-dessus de leur intelligence? Joas n'est qu'un perroquet de sacristie, destiné plus tard à devenir un perroquet de cour. »

Adam (*Histoire de la Littérature française au XVIIe siècle*, tome V) : « Comment aussi condamner Athalie et Mathan? Se trompent-ils lorsqu'ils s'inquiètent, lorsqu'ils soupçonnent Joad de préparer un coup de force, lorsqu'ils devinent un mystère dangereux dans la naissance d'Éliacin? On dira que leur crime n'est pas dans leurs sévérités présentes, qu'elle est dans l'usurpation ancienne, dans le massacre de la race royale. Mais Athalie pourrait répondre, ou plutôt elle répond que si elle a tué, ce fut pour venger la mort affreuse de son père, de sa mère, de son frère, de quatre-vingts fils de rois, assassinés en représailles parce que Jézabel avait fait exécuter quelques prophètes fanatiques. Si bien qu'à juger cette histoire affreuse, non pas d'après les préjugés d'une orthodoxie mais d'après les principes de la morale commune, nous n'avons devant nous qu'un enchaînement de meurtres où le sang versé appelle le sang [...]

» Mais, à son insu même, Racine était entraîné hors de ce dogmatisme. Malgré lui, il a fait d'Athalie la création la plus vraie, la plus émouvante, la plus humaine de sa tragédie. C'est elle qui prononce les mots qui nous atteignent. Nous admirons son courage, son œuvre de reine, le succès d'une politique qui tend à la prospérité de son État et au bonheur de son peuple. Elle a tué. Mais elle l'a fait parce qu'elle a voulu venger sa famille massacrée. Elle n'est pas étrangère à la pitié et s'attendrit à la vue d'Éliacin. Elle n'envisage de mesures sévères que dans la mesure où elle les croit nécessaires à la paix et à l'ordre de l'État.   Il est arrivé à Racine que la grande figure de sa tragédie, ce n'est pas Joad, c'est cette vieille femme que grandit la conscience de ses devoirs, exactement de la même façon que, dans l'*Otage* de Claudel, ce n'est pas Coufontaine qui domine l'œuvre, mais Turelure. »

François MAURIAC (*la Vie de Jean Racine*) : « Peu de mois avant sa mort, Sarah Bernhard interpréta le rôle d'Athalie. Ceux qui l'ont entendue se souviennent de la majestueuse grandeur dont elle revêtait la fille d'Achab. Nous nous rappelâmes alors que Voltaire avait déjà pris le parti d'Athalie contre le grand prêtre. Interprétation ingénieuse, pensions-nous, qui trahissait les intentions du poète.

» Mais, à relire de près ce drame terrible, il apparaît nettement que Racine a voulu que la vieille reine eût de la grandeur. »

M. PICARD (*Œuvres* de Racine, Pléiade, I, p. 886) : « *On me trouvera peut-être un peu hardi d'avoir osé mettre sur la scène un prophète inspiré de Dieu,* écrit Racine dans la Préface. Le poète savait en effet qu'il se lançait dans la prodigieuse entreprise de faire parler Dieu sur le théâtre. La Bible assurément pouvait lui servir de guide, mais y trouvait-il de quoi répondre aux nécessités dramatiques d'une tragédie en cinq actes? Et le ton même de l'Écriture pouvait-il passer dans ses vers autrement que par quelques citations incorporées au discours? Pris entre les nécessités du sujet et celles du genre, Racine devait se faire un style nouveau, ou du moins adapter le sien à cette tâche nouvelle. La présence de Dieu et sa Parole exigeaient une solennité écrasante. La dignité tragique devait avoir ici toute sa hauteur, et rejoindre l'épique. *Athalie* est la tragédie de la grandeur. La majesté de Joad a comme un reflet de celle du Dieu qui l'inspire. La vieille reine elle-même est imposante; tous les personnages et les plus méprisables participent du Mystère et de son caractère auguste. L'ampleur de l'action et l'immensité des intérêts mis en jeu font que la pompe même ne semble pas factice. Rien de ce qui est large, de ce qui a volume et force, n'est déplacé dans une telle tragédie.

① « Mais ce besoin de grandiose a des effets singuliers sur la création racinienne. Comme les personnages ne sont que les marionnettes de Dieu, que l'intérêt se porte moins vers eux que vers la main qui les agite, leur psychologie est dominée par quelques traits fort simples, ce qui ne donne pas une grande profondeur à leur caractère, mais les doue d'une sorte de beauté sculpturale, en harmonie avec le dessein esthétique de la pièce. »

Conclusion

Athalie poursuit sa carrière, de nos jours. Outre la Comédie-Française, les théâtres parisiens (Sarah-Bernhardt, 15 représentations au cours de la saison 1961-1962) et les Centres dramatiques régionaux la font figurer régulièrement à leur programme. Et la critique lui porte toujours un vif intérêt.

M. Thierry Maulnier a bien montré (*le Figaro littéraire*, 7 octobre 1961) la valeur actuelle d'*Athalie*. Toute la pièce s'ordonne « autour de la vision de Joad au troisième acte ».

① « Ces deux strophes visionnaires rassemblent en elles non seulement le sens de la tragédie, mais le mouvement théâtral qui lui est propre, — unique dans l'œuvre de Racine — et sa respiration profonde. »

② « Ce qui est en jeu au-delà de l'enfant menacé de mort — thème bien racinien si l'on songe que trois tragédies de Racine, *Andromaque*, *Iphigénie*, *Athalie*, tournent autour du sacrifice de l'enfant —, c'est le sort de la race de David, c'est la perte ou le salut de la lignée au terme de laquelle sera accomplie la promesse rédemptrice et, comme l'a compris, comme l'a magnifiquement dit Sainte-Beuve, il convient qu'à cet instant tous les acteurs du drame humain soient anéantis devant Dieu, seul acteur véritable, et Joas lui-même, l'enfant sacré, *comme flétri dans sa fleur d'espérance*. »

Au-delà même du « sort de la race de David », M. Thierry Maulnier aperçoit de plus vastes perspectives, la grande aventure humaine : « La victoire de Joas, la victoire de son peuple n'est pas définitive. Après l'assaut d'Athalie viendront d'autres assauts, à commencer par celui de Joas lui-même, voué à accomplir la malédiction de la vieille reine vaincue ; les quelques heures de ce drame ramassé sur lui-même ne sont qu'un des moments d'une pulsation qui est celle de l'histoire des hommes, du commencement à sa fin. Les ténèbres reviendront, et puis de nouveau la lumière. »

Ainsi, *Athalie* rejoint les plus grandes tragédies grecques :

③ « Racine retrouve à la fin de sa carrière d'écrivain de théâtre, et dans une tragédie chrétienne, le secret qu'il a cherché tout au long de son œuvre, le secret perdu de la tragédie grecque, célébration dramatique des Dionysies, action théâtrale vouée à la célébration du Dieu mourant et renaissant et du héros à qui il montre à travers sa propre mort le chemin de la résurrection, cérémonie profonde dans laquelle, selon le mot d'Héraclite, un des mots les plus chargés de sens et de mystère qui aient jamais été dits, *les dieux vivent la mort des hommes, et les hommes vivent la mort des dieux*. »

TABLE DES MATIÈRES

BERGER-LEVRAULT, NANCY

778765-6-63   Dépôt légal : 2ᵉ trimestre 1963